D0415552

MICHAEL
ALLEGRETTO

Tödlicher Denkzettel

ROMAN

SCHERZ

Einzig berechtigte Übertragung aus dem Amerikanischen
von Christine Frauendorf-Mössel
Titel des Originals: »The Dead of Winter«
(Früher bei Scherz erschienen unter dem deutschen Titel:
»Sterben on the rocks«)
Umschlaggestaltung: Adolf Bachmann
Umschlagbild: Tamara de Lempicka

2. Auflage 1999, ISBN 3-502-51696-0

Gesamtherstellung: Ebner Ulm

1

Draußen war es unter Null. Joseph Bellano wollte trotzdem spazierengehen.
»Können wir uns nicht in meinem Büro unterhalten, wo's warm ist?« schlug ich vor.
»In Ihrem Büro könnten Wanzen versteckt sein.«
Bellano war kleiner, korpulenter und zwanzig Jahre älter als ich. Ich schätzte ihn auf einen Meter achtzig, auf über hundert Kilo, und Mitte fünfzig. Außerdem war er offenbar kälteunempfindlich. Ich trug Cordhosen, Hemd, Wollpullover, dicke Socken, Stiefel und einen Anorak, Handschuhe, Schal, hatte eine Wollmütze über beide Ohren gezogen, und fror trotzdem. Davon abgesehen, wußte ich definitiv, daß mein Büro nicht verwanzt war.
»Was halten Sie davon, wenn wir uns in meinen Wagen setzen und die Standheizung einschalten?«
»Könnte auch verwanzt sein.«
»Mann, niemand baut in ein Auto Wanzen ein, nicht mal im Film!«
Bellano schüttelte den Kopf. Seine Ohren und seine Blumenkohlnase waren von der Kälte gerötet. Eine Kopfbedeckung hätte ihm nicht geschadet. Sein schwarzes Haar war schütter, und an den Schläfen silbergrau. Er trug es lang, nach Art der Friseure.
»Sie haben recht«, sagte er. »Ich leide schon unter Verfolgungswahn. Aber Sie müssen das verstehen. Die vom FBI sind wie der Teufel hinter mir her. Ich habe keine Ahnung, wie weit sie gehen. Jedenfalls wird das Telefon in meinem Laden abgehört. Also reden wir im Gehen, einverstanden?«
Wir gingen über den Broadway in nördliche Richtung. Auf der Gegenfahrbahn staute sich der Nachmittagsverkehr. Auf dem Bürgersteig und am Straßenrand lag tagealter, schmutzig grauer Schnee. Vom bleiern grau verhangenen Himmel fielen winzige Eiskristalle auf den Asphalt. Bald würden sie eine tückische Eisfläche bilden.
»Es geht um meine Tochter«, erklärte Bellano grimmig. »Sie ist seit drei Tagen verschwunden. Ich habe Gott und die Welt rebellisch gemacht – bei Freunden und Bekannten, einfach überall angerufen, niemand hat sie gesehen. Ihre Mutter ist verzweifelt.«
»Kann ich mir vorstellen. Waren Sie schon bei der Polizei?«
Er nickte. »Die sind nicht gerade erpicht darauf, mir zu helfen. Hätte keinen ungünstigeren Zeitpunkt geben können.«

Bellano schob die Hände tiefer in die Taschen seines schwarzen Mantels. Seine massigen Schultern waren gebeugt, den Mantelkragen hatte er hochgeschlagen. Er sah aus wie ein ergrauter Mafioso. Aber Bellano war kein Verbrecher. Es sei denn, man wollte jemanden als kriminell bezeichnen, der in seinem Friseurladen nebenher ein schwunghaftes Wettbüro unterhielt. Ich jedenfalls fand das nicht verwerflich.
»Ich habe Samstagmorgen die Polizei verständigt«, fuhr Bellano fort. »Stephanie war auch Freitagabend nicht zurückgekommen. Aber bei der Polizei gilt man erst nach zweiundsiebzig Stunden als vermißt. Heute war ich wieder auf dem Revier. Ich mußte dort etliche Formulare ausfüllen. Jetzt ist die Sache offiziell. Stephanie ist als vermißt gemeldet. Danach habe ich versucht, einen anständigen Schnüffler ausfindig zu machen. Verzeihung, war nicht so gemeint.«
»Bin dran gewöhnt.«
Ich war seit vier Jahren im Geschäft und hatte mir schon schlimmere Bezeichnungen anhören müssen. Von den Tätlichkeiten, denen ich manchmal ausgesetzt war, ganz abgesehen.
An der Twelfth Avenue mußten wir an einer roten Ampel warten. Im riesigen Schaufenster der Howard Lorton Galerie hing ein überdimensionaler Adventskranz. Am darauffolgenden Tag war der erste Dezember.
Die Ampel schaltete auf Grün. Wir überquerten die Straße. Meine steifgefrorenen Zehen waren für jede Bewegung dankbar.
»Wo haben Sie Ihre Tochter zuletzt gesehen?«
»In meinem Friseurladen, Freitagmorgen. Ein paar Stunden nach der Razzia.«
Ich hatte von Bellanos Verhaftung gelesen.
Ein Sonderdezernat, bestehend aus FBI und der Kripo in Denver, hatte ein gutes Dutzend der aktivsten Buchmacher der Stadt hochgenommen. Eine Lastwagenladung mit Beweisen war beschlagnahmt worden. Die meisten Buchmacher waren für ihre Mitmenschen ehrbare Geschäftsleute. Einmal in zehn Jahren allerdings, wurde die Polizei gegen illegale Wettbüros und Glücksspiele aktiv und verschrieb sich dadurch der Aufrechterhaltung von Moral und Ordnung.
In diesem Jahr jedoch, steckte noch etwas anderes dahinter. Das FBI witterte eine Verbindung zwischen den Buchmachern und dem organisierten Verbrechen.

»Glauben Sie, daß es einen Zusammenhang zwischen dem Verschwinden Ihrer Tochter und Ihrer Verhaftung gibt?«
»Absolut. Stephanie ist ein reizendes Mädchen, knapp achtzehn. Höflich, guterzogen, gläubige Katholikin. Dafür hat ihre Mutter gesorgt. Meine Tochter hatte keine Ahnung davon, daß ich ein Wettbüro unterhalte. Sie fiel natürlich aus allen Wolken, als die Bullen Freitag bei uns zu Hause auftauchten. Für sie ist eine Welt zusammengebrochen.«
»Sie haben das vor ihr geheimhalten können?« Ich war verblüfft.
»Meine Frau und ich haben nie mit ihr darüber gesprochen. Wetten und Geld habe ich ausschließlich im Laden angenommen. Und da kommt sie kaum hin. Meine Geschäftsunterlagen sind in meinem Computer gespeichert. Der steht in meinem Arbeitszimmer. Und das ist abgeschlossen. Steph hat gedacht, daß ich an der Börse spekuliere. Und das mache ich gelegentlich tatsächlich.«
»Sie haben Ihre Unterlagen im Computer gespeichert?«
»Warum nicht? Wir leben im elektronischen Zeitalter.«
»Stimmt. Hätte ich beinahe vergessen.«
Ich wischte mir mit dem Handrücken die tropfende Nase.
»Erzählen Sie mir vom Freitag«, forderte ich ihn auf, während wir weitermarschierten.
»Sofort, nachdem ich das Geschäft geöffnet hatte, erschien die Polizei. Ich mußte mit aufs Präsidium. Sie hatten auch einen Hausdurchsuchungsbefehl. Zu Hause haben sie alles auf den Kopf gestellt, und dann meine sämtlichen Unterlagen beschlagnahmt. Das heißt, fast alle. Eine Kopie haben die Idioten übersehen. Dabei lag sie direkt vor ihrer Nase. Jedenfalls sind Stephanie und ihre Mutter zu Hause gewesen. Das arme Kind war völlig perplex. Als die Polizei fort war, hat Angela ihr alles erklärt. Stephanie hat das nicht gut aufgenommen.«
»Wie hat sie reagiert?«
»Sie ist unmittelbar danach in meinem Laden aufgetaucht.«
Wir überquerten die Straße. Ein Lastwagen hielt auf dem Zebrastreifen. Schmutziges Schmelzwasser tropfte von seiner Kühlerhaube. Wir mußten einen Bogen um ihn machen. Von den vorbeirasenden Autos auf der Gegenseite spritzte Schneematsch an unsere Hosenbeine. Bellano schien von alledem nichts zu merken.
»Ich war dabei, einem Kunden die Haare zu schneiden und da . . .«
»Moment mal! Ein paar Stunden nach Ihrer Verhaftung haben Sie schon wieder Haare geschnitten?«

Bellano nickte. »Sie hatten mich unter Anklage gestellt, mich erkennungsdienstlich registriert und anschließend auf Kaution freigelassen. Es war nicht mal Mittag, da war ich schon wieder in meinem Laden, und habe nebenher Wetten aufgenommen.«
»Soll das ein Witz sein!«
»Nein, warum? Glauben Sie, ich mache vor dem Spiel der Broncos heute abend meinen Laden dicht? Es wird im Fernsehen auf National TV übertragen. Da boomt das Geschäft!«
Dabei fiel mir ein, daß ich bei meinem Buchmacher ebenfalls gesetzt hatte. Denver hatte gute Chancen Seattle zu schlagen. Fünfhundert hatte ich auf Sieg riskiert.
»Also, jedenfalls waren Sal und ich im Laden . . . beim Haareschneiden, versteht sich«, fuhr Bellano fort. »Jeder hatte einen Kunden auf dem Friseurstuhl, und ein paar haben gewartet. Alle versuchten, mich mit blöden Witzen aufzuheitern. Da stürmt Stephanie wie die Rachegöttin persönlich herein.«
Bellano lächelte unwillkürlich.
»So hatte ich sie noch nie gesehen«, seufzte er. »Am Anfang wirkte sie fast komisch. Auf mich jedenfalls. Die anderen haben sie fassungslos angestarrt. Sie wußten zuerst gar nicht, wer sie war.
Stephanie hat richtig gebrüllt. Ich hätte sie jahrelang betrogen. Sie hoffe, daß ich zusammen mit meinen Komplizen bald ins Gefängnis käme, und daß sie mich nie wiedersehen wolle, was dann schon nicht mehr so komisch war.«
Er runzelte die Stirn. »Ich habe versucht, sie zu beruhigen. War zwecklos. Sie hat mir die Schlüssel zu ihrem Wagen an den Kopf geworfen. Sie wolle nichts besitzen, was ich mit schmutzigem Geld bezahlt habe, hat sie gekreischt und ist dann rausgerannt. Ich hinterher, aber ich konnte sie nicht mehr einholen. Seither habe ich sie nicht mehr gesehen.«
»Sie haben herumtelefoniert, sich bei Freunden und Verwandten nach ihr erkundigt?«
»Gott und die Welt habe ich angerufen. Keine Spur von Stephanie.« Er schüttelte den Kopf.
»Hat Stephanie einen Freund?«
»Nicht, daß ich wüßte.«
»Was ist mit ihren Freundinnen? Ist es möglich, daß sie sich bei einer Freundin versteckt hält?«
»Freundinnen hat sie nur wenige. Und die wohnen alle bei den Eltern. Ich habe sie alle angerufen.«

An der nächsten Ecke wandte Bellano sich nach rechts. Vor uns lag das Capitol. Die goldene Kuppel war stumpf wie ein Pennystück.
»Da ist noch was, das Sie wissen sollten«, gestand Bellano. Seine Nase tropfte. Das erste Anzeichen, daß auch ihm die Kälte nicht unbedingt behagte. »Hinter der Razzia gegen die Buchmacher steckt mehr, als in der Zeitung zu lesen war. Die Kripo und das FBI kümmern sich normalerweise gar nicht um uns. Wir sind für die kleine Fische. Die haben es auf einen bestimmten Typen abgesehen. Auf Fat Paulie DaNucci.«
»Sieh an.«
»Die Staatsanwaltschaft will mich und andere dazu bringen, gegen DaNucci auszusagen«, berichtete Bellano weiter. »Sie wollen, daß wir zugeben, für ihn gearbeitet zu haben. Damit hätten sie mehr gegen ihn in der Hand. Aber das ist Blödsinn. Bei uns arbeitet jeder für sich. Klar, nehmen auch einige Wetten für DaNucci an, wenn der Druck groß genug wird. Ist mir auch schon so gegangen.
Ich weiß, daß DaNucci kein harmloser Buchmacher ist. Ist er nie gewesen. Er hat Verbindungen zur Mafia. Alle wissen das. Nur beweisen kann's keiner.«
Wir gingen den Weg zurück, den wir gekommen waren.
»Ich bin länger im Geschäft als die meisten anderen«, klärte Bellano mich auf. »Ich habe als Buchmacher angefangen, bevor jede Kneipe und jedes Bürohaus in der City einen Buchmacher hatte. Bevor das Geschäft ›respektabel‹ wurde. Und damals bin ich mit Fat Paulie gut bekannt gewesen. Sagen wir, ich weiß ein paar Sachen von ihm, die ihn in Verlegenheit bringen könnten, was die Polizei betrifft. Vielleicht macht ihn das nervös.«
»Könnte er Ihre Tochter entführt haben?«
»Der Gedanke ist mir gekommen. Aber er will damit angeblich nichts zu tun haben.«
»Sie haben mit DaNucci gesprochen?«
»Natürlich. Ich hab' ihn angerufen. Er war verdammt wütend, daß ich ihm so was überhaupt zutraue.«
»Hat er vielleicht angedeutet, daß Stephanie nach dem Prozeß zurückkehren könnte?«
»Nichts dergleichen. Wie gesagt, er war wütend und hat einfach aufgelegt. Wenn DaNucci meine Tochter hätte, wüßte ich es mittlerweile. Da bin ich sicher.« Bellano schüttelte den Kopf. »Vielleicht ist Steph einfach nur vor uns davongelaufen. Aber niemand hat sie gesehen. Sie hat kein Auto und kaum Geld bei sich.«

Er atmete geräuschvoll. Dann griff er in seine Manteltasche und reichte mir einen dicken Umschlag.
»Ein paar Fotos von ihr«, erklärte er. »Und eine Liste der Personen, die sie gesehen haben könnten. Aber mit einigen von ihnen haben wir auch schon gesprochen. Und fünftausend Dollar.«
»Fünf . . .?«
»Wenn's nicht reicht, sagen Sie's.«
»Es ist mehr als genug. Aber warum regeln wir das nicht später? Ich schreibe Ihnen eine Rechnung.«
»Es gibt ein altes italienisches Sprichwort.«
»Und das heißt?«
»Sei nicht blöd und nimm das Geld.«
»Also wenn das ein alter Italiener gesagt hat«, seufzte ich, aber Bellano war ernst geworden. Die Sorge um seine Tochter war ihm anzusehen.
»Vielleicht gibt es Schulfreunde, die wir nicht kennen«, vermutete er. »Das erscheint mir als einzige Möglichkeit in Betracht zu kommen.«
»In welche Schule ging . . . geht sie?«
»Loretto Heights. Collegestufe«, fügte er stolz hinzu. »Sie ist gut ein Jahr jünger als die meisten in ihrer Klasse. Sie ist ein kluges Mädchen. Angela und ich konnten immer stolz auf sie sein. Vielleicht war es falsch, sie zu ermutigen, Klassen zu überspringen. Vielleicht hätte man ihr mehr Zeit lassen sollen.«
Wir überquerten die Straße.
Die Kälte war beißender geworden. Der Himmel hatte sich merklich verdunkelt. Die meisten Autos fuhren bereits mit Licht. Wir gingen eine Weile schweigend nebeneinander her.
»Sie sollen gut sein in Ihrem Job«, sagte Bellano unvermittelt. Es klang eher wie eine Frage.
»Guter Durchschnitt, würde ich meinen.«
Bellano schneuzte geräuschvoll ins Taschentuch.
»Finden Sie Stephanie«, murmelte er. »Bitte!«
»Ich tu' mein bestes.«

2

Nachdem ich mich vor meinem Büro von Joe Bellano verabschiedet hatte, brachte ich den Löwenanteil meines frisch verdienten Bargelds auf die Bank. Den Rest trug ich nach Hause und schloß ihn zu meinen Waffen in den Safe.

Dann köpfte ich eine Flasche Labatt's Blue und leerte auf den Küchentisch, was noch in Bellanos Briefumschlag verblieben war.

Vor mir lagen zwei Fotos.

Das eine zeigte die Porträtaufnahme eines jungen Mädchens mit schönem Teint in blaßblauem Cashmerepulli und einreihiger Perlenkette. Sie hatte langes, glattes schwarzes Haar und dichte Augenwimpern. Stephanie Bellano war attraktiv, aber nicht unbedingt hübsch. Auf dem Bild lächelte sie verhalten unschuldig.

Das andere Foto zeigte die Familie Bellano: Joseph, Stephanie und eine Frau. Letztere konnte nur Stephanies Mutter, Angela, sein. Die drei standen in der Sommersonne in einem Hof. Ich erkannte die Ecke einer Garage und Tomatenpflanzen, die sich an Drähten hochrankten. Die Bellanos trugen Bermudas und Sandalen und blinzelten in den grellen Sonnenschein.

Zu den Bildern hatte Bellano eine Liste gelegt. Diese las sich wie die Adressatenliste familiärer Weihnachtsgrüße: Sechs Blatt liniertes Papier mit circa fünfzig Namen, Adressen, und Telefonnummern. Bellano hatte behauptet, mit allen gesprochen zu haben. Niemand hatte Stephanie gesehen. Vorerst war ich bereit, von der Korrektheit dieser Aussagen auszugehen. Was Stephanies Freundeskreis betraf, war Bellano nicht sicher gewesen. Das sollte mein Ansatzpunkt sein.

Das aber erst morgen.

An diesem Abend hatte ich eine Verabredung mit den Broncos.

Wie sich im Laufe der Übertragung herausstellte, waren meine Favoriten indisponiert. Das Spiel war bereits eine Dreiviertelstunde alt, und ich hatte den zweiten Sechserpack Bier angebrochen, als die Heimmannschaft endlich Punkte machte. Aber das rettete sie auch nicht mehr. Meine fünfhundert Dollar konnte ich in den Wind schreiben. Kismet. Genaugenommen waren es fünfhundertfünfzig. Ich fluchte auf die verdammten Buchmacher.

Am Mittwoch war der Himmel aschgrau.

Wieder einmal stellte ich mir die bange Frage, ob mein betagter

Olds noch einen Winter durchhalten würde. Wie zum Trotz sprang er an diesem Morgen schon beim ersten Versuch an.
Ich fuhr zur Loretto High-School. Genaugenommen war das Regis College auf den Loretto Heights Campus mein Ziel. Das alte Hauptgebäude thront wie ein rotes Backsteinschloß auf einer Hügelkuppe im Südwesten von Denver. Hohe Kiefern, kahle Ulmen und eine weite schneebedeckte Rasenfläche trennten es von einer der Hauptadern des städtischen Verkehrs, dem Federal Boulevard.
Das College war vor der Jahrhundertwende von dem Orden der Loretto-Schwestern gegründet worden. Nach finanziellen Schwierigkeiten in den sechziger Jahren, hatte Regis die Lehranstalt übernommen. Regis wiederum wurde von Jesuiten geführt.
Ich stellte den Olds auf dem Gästeparkplatz ab und ging die rote Sandsteintreppe zum Haupteingang hinauf. Darüber thronte die Jungfrau Maria in weißem Marmor und empfing jeden Besucher mit weit ausgebreiteten Armen.
Pater Shipman war der Verwaltungsdirektor, ein hagerer Mann Mitte Sechzig mit geröteten Wangen. Sein Büro war ebenso spartanisch und schlicht wie seine Kleidung. Er erzählte sofort, mit Joseph Bellano am Vortag telefoniert zu haben.
Er wollte wissen, ob Stephanie Montag nicht in der Schule gewesen sei, fuhr Pater Shipman fort. »Ich habe ihn an Stephanies Lehrer verwiesen. Seither habe ich nichts mehr von ihm gehört.«
»Haben Sie Ihrerseits mit Stephanies Lehrern gesprochen?«
»Nein. Ich nahm an, daß sie mich von sich aus informieren würden, falls es mit Stephanie Probleme gab.«
»Haben Sie was dagegen, wenn ich mit ihnen spreche?«
Hatte er nicht. Er notierte ihre Namen und beschrieb, wo sich ihre Büros befanden.
»Mr. Lomax«, schloß er und räusperte sich. »Ich muß Sie bitten, unsere Schüler auf keinen Fall zu behelligen.« Das klang wie eine Drohung.
Stephanie hatte Kurse in Krankenpflege, Kunstgeschichte, Betriebswirtschaft und Literatur belegt. Sie hatte offenbar noch keine konkrete Berufsvorstellung. Rachel Wynn, die Dozentin für Literatur, war gleichzeitig Stephanies Tutorin. Ich beschloß, bei ihr zuerst mein Glück zu versuchen. Die Tür von Rachel Wynn fand ich verschlossen. Mein wiederholtes Klopfen verhallte ungehört.
Am Ende des Ganges fand ich schließlich Stephanies Lehrerin für

Krankenpflege, eine Mrs. ten Ecke. Ich stellte mich vor. Sie bot mir einen Stuhl an.
»Was haben Sie auf dem Herzen, Mr. Lomax?« fragte sie und setzte sich an ihren Schreibtisch.
Sie war eine gut vierzigjährige Matrone mit dichten braunen Augenbrauen. Ihr Brustumfang unter dem dicken Wollpullover war beachtlich.
»Eine Ihrer Schülerinnen, Stephanie Bellano, ist offenbar von zu Hause weggelaufen.«
Mrs. ten Ecke nickte. »Ich habe gestern mit ihrem Vater telefoniert.«
»Haben Sie eine Ahnung, wo sie sich aufhalten könnte?«
Mrs. ten Ecke schüttelte den Kopf. »Leider, nein.«
»Mit wem an der Schule ist Stephanie befreundet?«
»Ich kann nur von meinem Unterricht sprechen, Mr. Lomax.«
»Das macht nichts.«
»Ich glaube nicht, daß sie überhaupt Freundinnen hat«, erwiderte die Lehrerin. »Jedenfalls ist mir nichts aufgefallen. Stephanie bleibt immer für sich.«
»Hm. Was ist Stephanie für ein Mädchen?«
»Sehr ruhig, würde ich sagen.«
»Eine gute Schülerin?«
»Wieder kann ich nur für meinen Unterricht sprechen. Tja, wie soll ich es ausdrücken, in diesem Jahr hat sie Probleme.«
»Sie ist also keine gute Schülerin?«
»So kann man das nicht sagen. Im letzten Schuljahr war sie fast die beste. Jetzt hat sie offenbar Mühe, sich zu konzentrieren. Wir hatten deshalb ein Gespräch, und sie hat versprochen, sich mehr Mühe zu geben. Außerdem . . .«
»Ja?«
»Stephanie ist offenbar sehr empfindlich. Einige Bilder in unserem Lehrbuch konnte sie kaum ertragen.«
»War das neu?«
»Ich denke schon.«
Nach Mrs. ten Ecke sprach ich mit Stephanies Lehrerinnen für Betriebswirtschaft und Kunstgeschichte. Beide wußten Ähnliches zu berichten. Sie bescheinigten Stephanies Intelligenz, beklagten jedoch mangelndes Interesse an der Schule. Außerdem galt sie als Einzelgängerin ohne großen Freundeskreis. Einen Hinweis auf ihren möglichen Aufenthaltsort konnte mir niemand geben.

Als ich zu Rachel Wynns Büro zurückkehrte, stand die Tür offen, es brannte Licht, doch der Raum war leer. Daß Rachel Wynn offenbar nur kurz weggegangen war, verrieten Mantel und Tuch, an einem Haken hinter der Tür.
Ich beschloß zu warten.
Der kleine Arbeitsraum enthielt einen Schreibtisch, zwei Stühle, einen Aktenschrank und ein Regal. An einer Wand hingen zahlreiche gerahmte Diplome. Auf dem Fenstersims stand eine Blattpflanze. Hinter der Scheibe waren weiß und abweisend die Berge sichtbar.
Ich setzte mich hinter den Schreibtisch.
Auf ihm lagen eine Schreibunterlage aus Kunstleder, ein Stifthalter, eine Aktenablage, eine kleine Holzschachtel mit Büroklammern, ein kleiner Weihnachtsmann aus Porzellan und ein Stapel Schnellhefter.
Ich schlug den obersten auf. Er enthielt Schüleraufsätze. Sie waren mit einem Rotstift korrigiert und meistens mit einer 3 oder einer 4 benotet. Ich konnte nur eine einzige 1 entdecken. Miss Wynn schien eine strenge Lehrerin zu sein. Der Einseraufsatz trug den Titel »Die Vase«. Ich begann zu lesen. Schließlich mußte ich mir die Zeit vertreiben.
»Wer sind Sie?«
Sie war eine sehr attraktive Frau mit kastanienbraunem Haar, in dunkelgrüner Wolljacke und Tweedrock. In einer Hand hielt sie eine abgeschabte, alte Aktentasche von der Größe eines Handkoffers. Ich schätzte sie auf Anfang Dreißig. Ihre Laune war nicht schwer zu erraten. Sie war schlecht auf mich zu sprechen.
Ich klappte den Schnellhefter zu und stand auf.
»Tut mir leid, ich habe nur ein bißchen spioniert.«
»Wer sind Sie? Wieso kramen Sie in meinen Sachen?«
»Bitte vielmals um Entschuldigung!« Ich trat hinter dem Schreibtisch vor und zückte meine Visitenkarte. »Ich heiße Jacob Lomax. Privatdetektiv. Familie Bellano hat mich beauftragt, ihre Tochter Stephanie zu finden. Ich nehme an, Sie sind Miss Wynn?«
»Detektiv?« Sie warf einen Blick auf meine Karte, machte jedoch keine Anstalten, sie entgegenzunehmen. »Weiß Pater Shipman, daß Sie hier rumschnüffeln?«
»Er weiß, daß ich hier bin, ja. Und ich habe nicht geschnüffelt. Ich habe . . .«
Rachel Wynn wuchtete ihre Aktentasche auf den Schreibtisch.

Einen Augenblick lang hatte ich befürchtet, sie würde sie zu Tätlichkeiten nutzen. Doch sie drängte sich nur an mir vorbei, ging zu ihrem Telefon und rief Shipman an, um meine Aussage zu überprüfen. Ich wartete und versuchte einen guten Eindruck zu machen.
»Verstehe«, sagte Miss Wynn in den Hörer. »Danke, Pater.« Sie legte auf.
»Alles klar?«
Sie verzog keine Miene. »Ich bin gestern den ganzen Tag nicht im Büro gewesen. Ich hatte gar keine Gelegenheit, Mr. Bellanos Anruf zu erwidern.«
»Sie wissen also nicht, daß Stephanie verschwunden ist?«
»Nein. Sie war gestern nicht im Unterricht. Aber deshalb habe ich mir keine Gedanken gemacht. Ein paar Schülerinnen sind krank ...«
»Sie ist seit Freitag verschwunden. Darf ich?« Ich griff nach dem einzigen freien Stuhl im Zimmer. Sie nickte. Ich setzte mich.
»Was sollte Stephanie veranlassen, von zu Hause wegzulaufen?« wollte Miss Wynn wissen.
»Sie hat etwas über ihren Vater erfahren, das sie sehr erschüttert hat.«
»Aha. Und das wäre?«
»Er betätigt sich nebenberuflich als Buchmacher.«
»So, so.« Rachel Wynn schien nicht überrascht. »Ist das alles?«
Ich mußte ihr insgeheim recht geben. Das war kein Grund, sich aufzuregen.
»Soviel mir bekannt ist, ja«, erwiderte ich. »Meinen Sie, es steckt mehr dahinter?«
»Woher sollte ich das wissen?«
»Sie sind so was wie ihre Vertrauenslehrerin, oder?«
»Mr. Lomax, ich bin ihre ...«
»Bitte sagen Sie Jacob zu mir.«
Ihre Augen wurden schmal. Sie waren haselnußbraun.
»Mr. Lomax, ich bin Stephanies Tutorin. Sie hat mir nicht mehr anvertraut als ihren Stundenplan.«
»Haben Sie mit ihr auch über Privates gesprochen?«
»Ein paarmal. Ja.«
»Hat sie je angedeutet, von zu Hause weglaufen zu wollen? Oder von einem Ort erzählt, wo sie lieber sein würde?«
»Nein, leider nicht.« Miss Wynn warf einen Blick auf die Uhr.

»Mist, ich komme zu spät in den Unterricht.« Sie steckte den Ordner mit den Aufsätzen in die Aktentasche. Ich stand auf.
»Stephanie hat kaum Geld bei sich. Auch den Wagen hat sie zurückgelassen«, bemerkte ich. »Weit kann sie also nicht gekommen sein. Wir hoffen, daß sie bei einer Freundin ist. Allerdings heißt es hier, sie habe keine Freundin.«
»Das ist nicht ganz richtig.«
Rachel Wynn schob mich zur Tür und schloß hinter uns ab. »Ich frage heute nachmittag mal Stephanies Mitschüler«, versprach sie.
»Bestens. Könnten wir nicht vorher zusammen Mittag essen?«
Diesmal verengten sich ihre Augen zu Schlitzen.
»Danke, nein. Ich esse ein Sandwich in meinem Büro«, lehnte sie ab. »Rufen Sie mich vor fünf in der Schule an. Dann sage ich Ihnen, ob ich was herausgefunden habe.«
Damit ging sie davon. Ich sah ihr nach, bis sie in der Menge lärmender Schüler verschwunden war. Sie hatte einen aufregenden Gang. Wieso hatte ich nie eine solche Lehrerin gehabt?

Um drei Uhr versuchte ich Rachel Wynn in der Schule anzurufen. Es meldete sich niemand. Ich rief um halb vier, um vier und bis fünf Uhr alle zehn Minuten wieder an. Das Telefon blieb stumm.
Ich machte eine Büchse Bier auf und schaltete den Fernsehapparat ein.
Die Nachrichtensendung des Lokalsenders war gerade beendet. Ich hatte nur den Rest der letzten Meldung mitbekommen, und wußte nicht, ob ich mich verhört hatte. Ich schaltete um. Eine Nachrichtensprecherin mit aufgesetzt ernster Miene kam ins Bild. Sie berichtete von einem Bombenattentat in einer Wohngegend in Nord Denver. Ein Mann war dabei getötet worden.
Joseph Bellano.

3

Die Nachrichtensprecherin wurde ausführlich.
»Joseph Bellano ist heute vormittag von einem Sprengsatz in seinem Auto getötet worden«, verlas sie. »Bei der Explosion wurde ein Teil der Garagenwand weggesprengt. Der Wagen brannte vollständig aus.«

Ein Filmbericht wurde eingespielt. Er zeigte Denvers Feuerwehrleute in schmutzigen gelben Ölanzügen und Stiefeln, wie sie die Löschschläuche auf die Überreste einer separaten Garage hielten. Im Umkreis der Garage war die Schneedecke geschmolzen und zu schwarzem Eis gefroren.

»Bellano war erst vor wenigen Tagen wegen Buchmacherei festgenommen worden. Dies geschah im Rahmen einer Kampagne der Stadt gegen illegale Wettgeschäfte. Es wird angenommen, daß Bellanos Zeugenaussage für die Staatsanwaltschaft in einem anhängigen Verfahren von entscheidender Bedeutung gewesen wäre. Die Polizei bringt Bellanos Tod mit dem organisierten Verbrechen in Verbindung.«

Ich schaltete den Fernseher aus.

Wie die Dinge lagen, schien Bellano in bezug auf Fat Paulie DaNucci recht gehabt zu haben. DaNucci hatte sich wegen Bellanos Aussage Sorgen gemacht und gehandelt. Aber dafür war die Polizei zuständig.

Mich ging nur Stephanie Bellano etwas an.

Die Chance war groß, daß sie vom Tod ihres Vaters erfahren würde. Gleichgültig, wo sie sich aufhielt. Die Nachricht vom Attentat hatte sämtliche Elemente, die sie zur nationalen Verbreitung prädestinierten: Autobombe, Mafia und die Feuerwehr im Einsatz. Ich war sicher, daß Stephanie tränenreich zu ihrer Mutter zurückkehren würde.

Damit war der Fall abgeschlossen.

Und ich mußte die fünftausend zurückgeben.

Es hatte Zeiten in meinem Leben gegeben, finanziell kritische Zeiten, in denen ich versucht gewesen wäre, das Geld zu behalten. Fünftausend bedeuteten die Miete für zehn Monate, tausend Sechserpack gutes Bier, einen angenehm langen Urlaub an einem hübschen, warmen Ort. Trotzdem gehörte die Summe eigentlich einer seit wenigen Stunden verwitweten Frau. Ich hoffte, nie in die Lage zu geraten, der Versuchung nicht mehr widerstehen zu können. Am darauffolgenden Vormittag fuhr ich zum Haus der Bellanos.

Ich hatte vor, mein Beileid auszusprechen und das Geld zurückzugeben. Immer unter dem Vorbehalt, versteht sich, daß Stephanie mittlerweile nach Hause zurückgekommen war. Andernfalls wollte ich das Geld mit Mrs. Bellanos Zustimmung behalten und weiterarbeiten.

Bellanos Haus lag in der Nähe der Kreuzung Forty-fourth und Hooker. Es handelte sich um eine alte, ruhige Wohngegend im Nordwesten von Denver, eine traditionelle Hochburg italienischer Einwanderer. Woran sich ganz offensichtlich nichts geändert hatte. Das braune Backsteingebäude zeichnete sich durch eine große Veranda, einen terrassierten Vordergarten und zahllose Polizisten aus, die überall herumtrampelten. Vor dem Haus parkten zwei Funkwagen und ein Streifenwagen. Ein Polizist in Uniform bewachte die Veranda. Der Mann trug Ohrenschützer unter der Uniformmütze und trat von einem Fuß auf den anderen, um sich warm zu halten.

Angesichts dieses Aufgebots beschloß ich, der Witwe eine weitere Belästigung zu ersparen und fuhr einfach weiter.

Später an diesem Vormittag rief ich bei den Bellanos an. Der Anschluß war besetzt. Daran sollte sich auch am Nachmittag nichts ändern. Entweder erhielt Angela Bellano unaufhörlich Beileidsanrufe, oder sie hatte den Hörer ausgehängt.

Ich zog Bellanos Liste von Freunden und Verwandten heraus und rief die verzeichneten Personen der Reihe nach an.

Es schien jeder Zweifel ausgeräumt. Stephanie Bellano war nicht nach Hause gekommen.

Ich versuchte, Rachel Wynn erneut vergeblich in Loretto Heights zu erreichen. In der Zentrale bekam ich ihre Privatnummer.

Auch dort war sie nicht.

Ich hatte Hunger, aber keine Lust allein zu essen. Meine Nachbarn und Freunde, Wass und Sophia, waren noch in Phoenix.

Der Gedanke, daß sie in diesem Augenblick in der Sonne am Pool lagen, kühle Getränke schlürften, während hinter ihnen die Steaks auf dem Grill brutzelten war unerträglich.

Mein Magen knurrte.

Ich räuberte den Kühlschrank: Käse, Cracker, eine Büchse geräucherte Austern, ein Glas eingelegte Champignons und eine Flasche Jack Daniels. Cuisine Lomax.

Die Beerdigung fand Donnerstagmorgen in der katholischen Kirche statt. Es gab nur Stehplätze. Vor der Kirche lagen so viele Blumengestecke, daß selbst eine Biene zu allergischen Reaktionen geneigt hätte.

Joseph Bellano hatte dreißig Jahre lang seinen Friseursalon betrieben. Die Haartracht zahlloser Freunde, Nachbarn und Verwand-

ten war von seinem Messer gepflegt worden. Unter seinen Kunden waren auch etliche Politiker, Polizisten, Verbrecher und Pfarrer gewesen. Jetzt waren alle gekommen, um ein letztes Lebewohl zu sagen. Die Trauergemeinde umfaßte gut vierhundert Personen.
In den ersten Reihen erkannte ich einige bekannte Gesichter: ein Ex-Bürgermeister, einige ehemalige und amtierende Stadträte, den Polizeichef. Dazu mehrere Protagonisten der örtlichen Fernsehsender und ein paar Gangster ... mutmaßliche Gangster; besondere Merkmale: mehrfache Verhaftung, keine Verurteilung. Unter ihnen war auch Fat Paulie DaNucci. Er machte ein Gesicht, als habe die Bombe den eigenen Bruder getötet.
Der Pfarrer hielt eine kurze, gute Ansprache, die Bellanos Qualitäten als liebevoller Ehemann, Familienvater und Freund angemessen zu würdigen wußte.
Schließlich reihte ich mich in den Trauerzug ein, der durch den Mittelgang der Kirche und am Sarg vorbeidefilierte.
Angela Bellano stand in der vordersten Reihe. Sie war ganz in Schwarz. Um sie herum hatte sich die Familie versammelt. Stephanie war nicht dabei. Neben Angela erkannte ich eine junge Frau mit zwei kleinen Kindern. Sie war Mitte Zwanzig und sah Stephanie ähnlich genug, um ihre ältere Schwester sein zu können.
Merkwürdig. Joseph Bellano hatte nichts von einer zweiten Tochter erwähnt.
Ich ging den Gang entlang und trat in den kalten sonnigen Morgen hinaus. Die meisten Trauergäste bestiegen ihre Autos, um zur Beerdigung auf dem Mount Olivet Cemetery zu fahren.
Ich tat das nicht.
Beerdigungen sind nicht mein Fall. Die einzige Beerdigung, an der ich noch teilzunehmen gedenke, wird meine eigene sein.
Ich fuhr zu Loretto Heights.
Es war kurz vor zwölf Uhr mittags. Unterwegs besorgte ich mir ein Sandwich und zwei Äpfel. Im College steuerte ich die Cafeteria an. Sie war vollbesetzt. Allein an einem Ecktisch saß Rachel Wynn. Vor ihr lag eine braune Tüte mit einem grünen Apfel und einem angebissenen Sandwich. Neben sich hatte sie Schulhefte ausgebreitet.
»Ich habe Ihnen einen Apfel mitgebracht«, begrüßte ich sie. »War wohl nicht sehr originell, was?«
Rachel Wynn sah überrascht auf. Mit einem hastigen Lächeln schob sie die Arbeiten beiseite.
»Bitte, setzen Sie sich«, lud sie mich ein.

Ich nahm Platz.
»Ich habe gehört, was mit Stephanies Vater passiert ist.« Sie klang deprimiert. »Mein Gott, wer macht denn so was?«
Ich packte mein Sandwich aus. »Haben Sie was von Stephanies Klassenkameraden erfahren?«
»Ja, aber ...« Sie lehnte sich verblüfft zurück. »Ist sie denn nicht wieder zu Hause?«
»Nein.«
»Du liebe Zeit! Als Sie nicht angerufen haben, dachte ich, sie sei wieder aufgetaucht.«
»Leider nicht.«
»Glauben Sie jetzt auch noch, daß sie bei einer Freundin untergetaucht ist?«
»Wenn ich das wüßte!«
»Ich habe mit einer Schülerin gesprochen. Stephanie hatte eigentlich nur eine Freundin. Madeline Dorfmier.«
»Und? Was hat sie gesagt?«
»Ich habe sie gefragt, ob sie wisse, wo Stephanie sei. Sie hat das verneint.«
»Hätten Sie was dagegen, wenn ich mal mit dem Mädchen rede?«
»Hm ... nein.«
»Aber?«
»Wenn Sie mit ihr in der Schule reden wollen, dann sollte ich vielleicht anwesend sein.«
»Nichts dagegen. Finden Sie, daß sich Stephanie im vergangenen Jahr verändert hat?«
»Ich kenne sie erst seit diesem Schuljahr.«

Eine halbe Stunde später saßen wir mit Madeline Dorfmier in einem leeren Klassenzimmer. Rachel hatte sie in der Cafeteria entdeckt. Madeline war ein wenig attraktives Mädchen mit fliehender Stirn und kantigem Kinn. Sie trug einen schwarzen Rollkragenpullover unter einem übergroßen Männerhemd, das über ihre schwarze Kordhose hing. Ein paar widerspenstige Haarsträhnen fielen ihr tief ins Gesicht und in die Brille mit dicken Gläsern. Ich fragte sie, ob sie wisse, wo Stephanie Bellano sei.
»Nein.« Sie rutschte unruhig auf ihrem Stuhl hin und her. Die Situation war ihr sichtlich unangenehm.
»Wann haben Sie das letzte Mal mit ihr gesprochen?«
»Letzte Woche ... in der Schule.«

»Hat Stephanie je davon geredet, von zu Hause wegzulaufen?«
Madeline schüttelte den Kopf. »Nicht in meiner Gegenwart«, antwortete sie. »Vielleicht mit Stacey.«
Der Name »Stacey« klang aus ihrem Mund wie aussätzig.
»Stacey?« fragte Rachel. »Stacey O'Connor?«
Madeline nickte.
»Was stimmt mit Stacey O'Connor nicht?« wollte ich wissen.
Madeline schnaubte und blies die Haarsträhnen aus dem Gesicht.
»Sie ist ein bißchen wild«, erklärte Rachel.
Ich sah Madeline an. Das Mädchen zog einen Schmollmund.
»Seit dem Frühjahr treibt Stephanie sich mit ihr rum«, wandte Madeline sich an mich. »Wir sind die ganze High-School-Zeit über Freundinnen gewesen. Wir haben beide beschlossen hierherzugehen, damit wir auf demselben College sein konnten. Und dann ... hat sie sich eine neue beste Freundin gesucht. Ich habe sie in den Sommerferien kaum gesehen. Ich dachte, wir könnten dieses Schuljahr neu anfangen, aber sie war wie verwandelt. Ich habe sie kaum wiedererkannt. Ich weiß nicht, ob wir je wieder Freundinnen sein können.«
Madelines kurzsichtige Augen suchten in unseren Gesichtern nach Mitgefühl oder zumindest nach einer Erklärung.
»Tut mir leid«, murmelte ich lahm.

Rachel hatte anschließend eine Freistunde. Gemeinsam gingen wir ins Sekretariat. Stacey O'Connor hatte am Nachmittag keine Vorlesung. Wir besorgten uns ihre Telefonnummer. Sie war zu Hause.
Die Wohnung lag knapp einen Kilometer vom College entfernt. Trotzdem nahmen wir meinen Wagen.
Stacey O'Connor war ein attraktives Mädchen mit blonden Locken und einer Stupsnase, das sich zu grell schminkte. Sie trug eine Skihose und einen Mohairpullover. Beides füllte sie angenehm aus.
»Ich habe Stephanie seit über einer Woche nicht gesehen«, eröffnete uns Stacey.
Wir saßen in einer Sitzecke in einem möblierten Zimmer. Auf dem Couchtisch stapelten sich Schulhefte, Bücher und Frauen- und Modezeitschriften. An einer Ecke stand ein großer Keramikaschenbecher. Er war randvoll mit Kippen, und es roch nach abgestandenem Rauch. Im Spülstein stapelte sich schmutziges Geschirr.
Rachel Wynn sah sich mißbilligend um. Stacey O'Connor fühlte sich offenbar nicht wohl in ihrer Haut.

»Wann genau, haben Sie mit Stephanie gesprochen?« wollte ich wissen.
»Hm. Warten Sie.« Stacey starrte zur Decke. »Im College habe ich sie nicht mehr gesehen, seit ich Betriebswirtschaft aufgegeben habe. Muß Mittwochabend gewesen sein«, erinnerte sie sich und sah uns an. »Wir gehen dann immer ...« Sie hielt plötzlich inne und sah von Rachel zu mir. »Ja, es war Mittwoch«, wiederholte sie monoton.
Da stimmte etwas nicht.
»Gestern vor einer Woche?« fragte ich.
Stacey nickte und fischte zwischen den Bücherstapeln eine Pakkung Zigaretten heraus. »Macht es Ihnen etwas aus, wenn ich rauche?«
»Und wo haben Sie Stephanie da getroffen?« fragte ich.
Stacey starrte zu Boden. »Im Lion's Lair.«
»Wie bitte?« Rachel war wütend. »Das Lokal steht auf der Liste. Es ist für euch verboten.«
Stacey ließ den Kopf hängen.
»Das Lion's Lair ist eine anrüchige Bar«, klärte Rachel mich auf und musterte Stacey empört.
»Aha! Ich dachte schon, es handele sich um einen Puff.«
Stacey wäre beinahe an ihrer Zigarette erstickt. Rachels vernichtender Blick traf diesmal mich.
»Das College hat strikte Regeln: keine Drogen oder Alkohol auf dem Campus. Bei Minderjährigen ist auch jeder Alkoholgenuß außerhalb der Schule strikt verboten. Stacey und Stephanie sind beide unter einundzwanzig.«
Stacey rollte die Augen.
Ich hielt Rachels Blick stand. »Stacey bekommt doch keine Probleme in der Schule, wenn sie jetzt offen mit uns redet, oder?«
Als Rachel Wynn schwieg, fuhr ich fort: »Denn falls auch nur das geringste in dieser Richtung passiert, können Stacey und ich ...«
»Schon gut.« Rachel wandte sich an Stacey. »Aber morgen will ich dich in meinem Büro sprechen.«
»Nein.«
Rachel starrte mich an. »Wie bitte?«
»Keine Sanktionen, keine Drohungen, nichts von dem ganzen Schrott.«
»Wie bitte?«
»Ich glaube, Sie haben mich sehr gut verstanden. Ich suche ein ver-

schwundenes Mädchen. Und falls Stacey mir helfen kann, sie zu finden, will ich nicht, daß sie etwas verschweigt, weil sie Angst vor Ihnen hat. Deshalb versprechen Sie ihr hier und jetzt . . .«
»Ich lasse mir nicht vorschreiben, wie ich mit meinen Studenten umzugehen habe.«
»In diesem Fall muß ich Sie bitten, draußen im Wagen zu warten.«
Stacey starrte uns mit offenem Mund an. Rachel Wynn preßte die Lippen aufeinander, stand steif auf, griff sich ihren Mantel und ging hinaus. Die Tür fiel krachend hinter ihr zu.
Ein zentimeterlanges Stück pudrige Asche fiel von Staceys Zigarette auf ein Lehrbuch.
»Was Alkohol betrifft, hat Wynny einen Tick«, bemerkte sie.
»Erzählen Sie mir vom Lion's Lair«, bat ich. »Wie oft sind Sie und Stephanie dort gewesen?«
»Zweimal pro Woche. Und nicht nur wir. Eine Menge Mädchen gehen dorthin. Ist 'ne nette Bar. Gute Musik und gute Stimmung. Mittwochabend ist Damenabend. Drinks kosten die Hälfte für uns. Eine gute Gelegenheit um . . . um Jungen zu treffen.«
»Kann ich mir denken. Aber Stephanie sieht nicht aus, als würde sie für einundzwanzig durchgehen. Nicht nach den Fotos zu urteilen, die ich gesehen habe. Läßt man dort Minderjährige anstandslos rein?«
»Schätze schon.« Stacey machte eine wegwerfende Handbewegung.
»Hat Stephanie je davon gesprochen, von zu Hause wegzulaufen?«
»Steph? Der Himmel bewahre! Sie wohnt sogar bei ihren Eltern. Man stelle sich das vor! Ich glaube, sie hat noch immer Angst vor ihren Eltern.« Stacey zog eine Grimasse. »In mancher Beziehung ist Steph noch ein Kind. Ich habe immer versucht, sie aufzulockern.«
»Hat's funktioniert?«
Staceys Miene hellte sich auf. »Kann man wohl sagen. Als ich sie letztes Frühjahr kennengelernt habe, war sie noch Jungfrau. Kaum zu glauben.«
»Das hat sich mittlerweile erledigt?«
»Natürlich. Sie will es zwar nicht zugeben, aber sie und Ken waren schon vor dem Sommer soweit.«
»Soweit soll vermutlich heißen, daß die beiden Sex hatten?«
Stacey nickte und musterte mich mit Kennerblick. »Ein guter Freund von Ken hat's mir gesagt. In diesen Dingen lügt Ken nicht. Hat er nicht nötig.« Sie seufzte. »Er ist der absolute Hit!«

»Wie heißt dieser Ken mit Nachnamen?«
»Kenneth Irgendwas.«
»So, so. Hat Stephanie noch andere Freundinnen?«
»Nicht, daß ich . . . Moment, da ist vielleicht doch jemand. Sie hat mal ein Mädchen namens Chrissie erwähnt. Den Nachnamen kenne ich nicht. Bin ihr nie begegnet.«
»Eine Studentin? Oder jemand aus dem Lion's Lair?«
»Weder noch. Stephanie hat sie im Sommer kennengelernt.«
»Wo?«
»Keine Ahnung.«
»Dieser Ken . . . wo wohnt er?« fragte ich.
»Weiß ich nicht. Aber Sie treffen ihn fast immer im Lair. Ich vermute, daß er einer der Mitinhaber ist. Jedenfalls macht er dort den Rausschmeißer. Er kann bestimmt Karate.« Stacey seufzte andächtig.
»Können Sie mir diesen Ken beschreiben?«
»Kennen Sie Tom Cruise? Genauso sieht er aus.«
»Wie wer?«
»Tom Cruise. Der Filmstar.«
Draußen im Wagen wartete keine Rachel Wynn. Na, gut. Wie Tom Cruise sehe ich eben nicht aus.

4

Ich fuhr zum Haus der Bellanos.
Mittlerweile war es Nachmittag. Ich konnte hoffen, Angela Bellano inzwischen allein anzutreffen. Das war ein Irrtum.
Vor dem Anwesen standen die Autos auf beiden Straßenseiten gut einen Block weit dicht gedrängt. Neugierig geworden, bog ich in die Seitenstraße ein, die hinter dem Haus vorbeiführte. Der Olds fuhr wie auf Schienen durch die tiefen Spurrillen im Schnee. Die meisten Hinterhöfe waren von der Straße aus durch hohe Zäune oder verschneite Hecken abgeschirmt. Das Haus der Bellanos war trotzdem unschwer zu erkennen.
Es hatte als einziges eine ausgebrannte Garage.
Ich fuhr auf die kurze Auffahrt, blieb jedoch im Wagen sitzen.
Die Überreste der Garage lagen gut zehn Meter von der Rückfront des Hauses und gut drei Meter von der Straße entfernt. Die dem

Haus zugewandte Mauer war zur Hälfte regelrecht wegexplodiert. Weit verstreut steckten Ziegelsteine im Schnee. Die beiden Garagentore waren zu Asche verbrannt. Ebenso ein Großteil des Daches. Einem makabren Weihnachtspaket gleich hatte die Spurensicherung der Polizei die Garagenruine mit einem breiten gelben Band eingegrenzt. »Betreten verboten«, war in Großbuchstaben darauf zu lesen.

Im Garageninneren waren die Überreste von zwei Autos zu erkennen.

Der Wagen links war fast völlig ausgebrannt, die Reifen waren geplatzt und die Fenster geborsten. Die Fahrerseite war eingedrückt, als hätte ein Riese mit dem Fuß dagegengetreten.

Von dem Auto rechts, in dem die Bombe explodiert war, war nur noch ein verkohlter, unförmiger Haufen Metall übrig.

Es dürfte ein leichtes gewesen sein, unbemerkt in die Garage einzubrechen. Die beiden Garagentore waren vom Haus aus nicht zu sehen, und gegen die Nachbarhäuser durch Zäune und Hecken abgeschottet. War der Attentäter erst einmal drinnen gewesen, hatte er ungestört zu Werke gehen können. Das mußte Montagnacht nach meinem Gespräch mit Bellano passiert sein.

Bellano war an jenem Abend nach Hause gekommen, hatte vermutlich mit seiner Frau zu Abend gegessen, vielleicht Football oder einen Film im Fernsehen angesehen, und war dann ins Bett gegangen. Am Morgen hatte er gefrühstückt, sich von seiner Frau verabschiedet und war zu seinem Wagen gegangen. Dort hatte er den Zündschlüssel ins Schloß gesteckt. Amen.

Ich fuhr zur Hauptstraße zurück und stellte den Olds ab.

Trotz der Kälte stand die Haustür der Bellanos offen. Ich ging hinein.

Zwei dunkelhaarige Männer standen im Flur, hatten Drinks in der Hand und unterhielten sich gedämpft. Sie nickten mir ernst zu. Ich nickte zurück und ging weiter ins Wohnzimmer. Der Raum war voller Leute, die standen, saßen oder auf Couch- oder Sessellehnen hockten. Vom Kleinkind bis zur Greisin waren alle Altersgruppen vertreten.

Vor dem Fenster stand ein hell erleuchteter Weihnachtsbaum. Duftende Kieferngirlanden schmückten die Türen. Bis auf die Kleidung der Trauergäste war alles farbenfroh und bunt. Man unterhielt sich leise. Niemand weinte.

Auf dem mit einem weißen Damasttuch bedeckten Eßtisch war ein

Buffet aus Schinken, Salami, Käse, Brot, Oliven und Peperoni aufgebaut. Ich widerstand der Versuchung, mir einen Teller zu schnappen und zuzugreifen.
Ich fragte nach Angela und wurde in die Küche verwiesen.
In der Küche saß ein Dutzend Frauen am Tisch und auf dem Fußboden, schnitten Zutaten klein, kochten und brutzelten irgendwelche Gerichte. Mir war heiß in meinem Mantel.
»Mrs. Bellano?«
Mehrere Frauen wandten sich zu mir um. Eine sagte: »Ja, bitte?«
Sie war eine mollige Frau mit sanften, ausdrucksvollen Zügen und dichtem, graumeliertem dunklem Haar, das sie im Nacken zu einem Knoten aufgesteckt trug. Ihre Kleidung war schwarz. An ihrem Ehering glitzerten Brillanten. In der rechten Hand hielt sie einen Löffel.
»Ich bin Jacob Lomax. Ich war ein Freund Ihres Mannes. Darf ich Ihnen mein Beileid aussprechen?«
Sie nickte und lächelte freundlich.
»Danke Mr. Lomax. Legen Sie ab und setzen Sie sich. Essen Sie etwas.«
»Danke, nein. Könnten wir ... Dürfte ich Sie unter vier Augen sprechen?«
Die leisen Unterhaltungen in der Küche verstummten. Alle Frauen sahen mich aufmerksam an.
»Warum? Was gibt es?« Angela Bellanos Augenbrauen schossen fragend in die Höhe.
»Das möchte ich Ihnen lieber sagen, wenn wir allein sind, Mrs. Bellano.«
Ich sah in die Gesichter der anderen. Kein Lächeln ermutigte mich. Angela runzelte sorgenvoll, aber entschlossen die Stirn.
»Was ist los. Heraus mit der Sprache!« forderte sie mich auf.
Ich trat verlegen von einem Bein auf das andere. »Am Tag bevor Ihr Mann ermordet wurde, hat er mich engagiert, Stephanie zu finden.«
»Stephanie? Sie haben sie gefunden?«
»Nein, leider nicht. Hat sie sich bei Ihnen gemeldet?«
Angela wurde blaß. »Warum sind Sie hier? Was wollen Sie?«
Bevor ich antworten konnte, trat ein Mann in die Küche. Er war Ende Vierzig ... ein vierschrötiger, pockennarbiger Bursche.
»Angela, wir brauchen Wein. Wir haben fast ... He, was ist denn hier los? Wer ist das?«

»Tony, der Mann redet von Stephanie«, warf eine der Frauen ein.
Tony musterte mich von Kopf bis Fuß. »Wer zum Teufel sind Sie?«
»Joseph hat mich engagiert, Stephanie zu finden und . . .«
»Engagiert?« fiel Tony mir ins Wort. »Angela, wovon redet er?«
Angela Bellano schüttelte den Kopf. »Joseph hat mir kein Wort davon gesagt.« Sie sah mich an. Tränen traten in ihre vom Weinen bereits geröteten Augen. »Bitte, wenn Sie wissen, wo sie ist . . .«
»Das weiß ich nicht, Mrs. Bellano. Aber ich tue mein Bestes, sie zu finden.«
»Wer ist der Typ, Angela? Kennst du ihn?«
Sie schüttelte den Kopf und wandte sich der nächststehenden Frau zu. »Oh, Gott, mein kleines Mädchen!«
Die Frau legte die Arme um sie und tätschelte ihr den Rücken. Angela begann zu weinen.
»He!« Tony bohrte seinen Finger unsanft in meine Schulter. »Wer sind Sie? Polizei oder ein verdammter Reporter?«
»Privatdetektiv. Und . . .«
Er zog eine Grimasse und versetzte mir einen harten Stoß vor die Brust.
»Verschwinden Sie! Und zwar ein bißchen plötzlich!«
Angela schluchzte laut. Alle Blicke waren feindselig auf mich gerichtet.
Ich ging.
Tony folgte mir dichtauf.
»Was gibt's, Tony?« fragte jemand, als wir durchs Wohnzimmer marschierten.
»Dieser ›Stronzo‹ hat Angela aufgeregt!«
Ich erreichte glücklicherweise die Haustür, noch bevor sie mich lynchen konnten. Tony beförderte mich mit einem energischen Stoß in die Veranda. Hinter ihm tauchten vier Männer auf. Den Aufwand hätten sie sich sparen können. Sie hatten mich bereits überzeugt.
»Wenn Sie sich hier noch mal blicken lassen, bringen Sie am besten gleich die Ambulanz mit.«
Das einzige Tröstliche war, daß er nicht »Sarg« gesagt hatte.
Ich stieg in den Wagen und fuhr zum Pfarrhaus der »Holy Family Catholic Church«.
Ich brauchte mehr Informationen über Stephanie Bellano. Und es sah nicht so aus, als könne ich sie von ihren nächsten Angehörigen bekommen. Ich hoffte auf die Hilfe des Priesters.

Während der Fahrt dachte ich über die Gründe nach, die Stephanie davon abgehalten haben konnten, nach dem Tod des Vaters nach Hause zurückzukehren.
Erstens: Sie wußte nichts von seinem Tod. Das bedeutete, daß sie weder Radio noch Fernsehapparat oder Zeitungen zur Verfügung hatte.
Zweitens: Sie hatte von Bellanos Tod erfahren, verspürte jedoch keine Lust, nach Hause zurückzukehren. Das konnte nur heißen, daß sie hartgesottener war, als man von einem achtzehnjährigen, streng-katholischen College-Girl erwarten durfte.
Drittens: Sie war nicht in der Lage nach Hause zu kommen.
Letztere Möglichkeit machte mir die größten Sorgen. Sie bedeutete vielleicht, daß Stephanie entweder physisch nicht in der Lage war nach Hause zu kommen, oder daß sie gegen ihren Willen festgehalten wurde. Eine Lösegeldforderung hatte es allerdings meines Wissens nach bisher nicht gegeben.
Schließlich gab es noch eine vierte Möglichkeit: Stephanie war bereits tot.
Ich parkte den Olds und ging den Gartenweg entlang und klopfte an die Tür des Pfarrhauses. Eine ältere Dame in bunt gemustertem Kleid führte mich ins Wohnzimmer.
Wenige Minuten später kam Pater Carbone herein, der Bellano begraben hatte. Er war älter als ich, hatte jedoch ein sehr jugendliches Aussehen. Sein Haar war kurz und lockig. Er trug eine Hornbrille.
Ich erklärte ihm Josephs Auftrag. Dann fragte ich ihn, wie lange er Familie Bellano schon kenne.
»Joseph war ein alter Freund«, sagte Pater Carbone. »Ich habe ihn und Angela getraut.«
Wir saßen uns auf harten Stühlen gegenüber. Der Pater machte ein sorgenvolles Gesicht.
»Und ich habe beide Kinder getauft.«
»Stephanie und ihre Schwester?« Ich dachte an die junge Frau neben Angela bei der Beerdigung.
»Ja. Diane.« Er nahm die Brille ab und putzte die Gläser mit seinem Taschentuch. »Arme Frau.«
»Wer? Diane?«
»Nein, Angela. Zuerst die Sorgen mit Diane. Dann läuft Stephanie weg. Und jetzt hat man ihr Joseph genommen.« Er schüttelte den Kopf und setzte die Brille wieder auf. »Gott prüft diese Frau schwer.«

Floskeln wie diese kannte ich aus meiner Kindheit zur Genüge.
»Was für Sorgen hatte Angela Bellano mit Diane?«
»Mit Diane gab es immer Probleme. Sie war das schwarze Schaf der Familie. Das exakte Gegenteil von Stephanie. Diane war immer schon spontan und aufbrausend. Der geborene Rebell. Mit Joseph geriet sie ständig aneinander.«
Das erklärte, warum Bellano sie mit keinem Wort erwähnt hatte.
»Diane ist sofort nach ihrem Schulabschluß zu Hause ausgezogen«, schloß Pater Carbone.
»Ist sie auch durchgebrannt?«
»Nein. Diane hat ihren Abgang sorgfältig inszeniert und zelebriert.« Er schüttelte grimmig den Kopf. »Ich habe heute nach der Beerdigung kurz mit ihr gesprochen. Sie hat mir gestanden, daß sie es sich nie verzeiht, sich nicht mit ihrem Vater versöhnt zu haben.«
»Lebt Diane in Denver?«
»Nein. In San Diego. Sie und ihre Kinder sind seit einigen Tagen bei Angela. Aber ich glaube, sie fliegt heute abend zurück.«
»Könnte sich Stephanie bei ihrer Schwester aufhalten?«
»Ausgeschlossen!« wehrte er ab. »Diane hätte das ihrer Mutter nie verheimlicht. Vor allem jetzt nicht.«
Ich neigte dazu, ihm zu glauben. Und doch . . .
»Haben Sie Dianes Adresse?«
»Ich glaube schon. Einen Moment!«
Er stand auf und ging hinaus.
Wenige Minuten später kam Pater Carbone mit einem Zettel zurück. Ich stand auf.
»Diane Eastbridge«, las ich laut.
»Ihr Ehename. Ich fürchte, sie ist geschieden.«
Ich steckte den Zettel ein. »Pater, einige Lehrer haben mir erzählt, Stephanie habe sich im letzten Jahr verändert. Ist Ihnen das auch aufgefallen?«
»Verändert? Inwiefern?«
Pater Carbone senkte den Blick. Priester sind gelegentlich schlechte Lügner.
»In jeder Hinsicht verändert«, fuhr ich fort. »Zwischen Frühjahr und Herbst schein sich ihr Verhalten grundlegend gewandelt zu haben. Während der Sommerferien muß etwas passiert sein.«
Die Miene des Priesters verdüsterte sich.
»Da war doch was, oder?« drängte ich. »Sie wissen etwas über Stephanie.«

Er nickte. »Stephanie kam vor ungefähr sechs Monaten zu mir. So Ende Mai oder Anfang Juni. Sie war in großen Nöten. Und sie hatte Angst, sich ihren Eltern anzuvertrauen.«
Ich wartete.
»Bitte, verstehen Sie, Mr. Lomax. Ich bin an das Beichtgeheimnis gebunden. Mehr kann ich nicht sagen.«
»Wie wär's mit einem Tip?«
Er lächelte gequält.
»Entschuldigen Sie meine Hartnäckigkeit. Aber alles, was mich zu Stephanie führen kann . . .«
»Kann es nicht«, wehrte er energisch ab. »Außerdem haben sich die Probleme . . . erledigt.«
»Woher wissen Sie das?«
»Stephanie hat es mir gesagt. Das war Anfang September.«
»Und diese Probleme sind schuld, daß sie sich derartig verändert hat?«
»Hundertprozentig. Das und . . .« Er wirkte peinlich berührt. »Tut mir leid, Mr. Lomax. Mehr kann ich nicht sagen.«
»Pater Carbone . . . wenn Sie nur . . .«
Er stand abrupt auf.
»Bitte, Mr. Lomax. Ich mache mir genausoviel Sorgen um Stephanie wie Sie. Vielleicht sogar mehr . . . Ich kenne sie seit ihrer Geburt. Aber ich kann und will das Beichtgeheimnis nicht brechen. Außerdem hat das mit ihrem Verschwinden bestimmt nichts zu tun. Glauben Sie mir. Wenn ich wüßte, wo sie ist, würde ich sie persönlich zu ihrer Mutter zurückbringen.«
Pater Carbone schob mich energisch zur Tür.
Als wir auf die Veranda hinaustraten, fragte er: »Helfen Sie der Polizei, Josephs Mörder zu finden?«
Ich drehte mich zu ihm um. »Nein.«
Er nickte. Seine Wangenmuskeln zuckten.
»Wenn der Mörder geschnappt wird«, sagte er mit unterdrückter Wut, »bete ich zu Gott, daß seine Strafe schnell und schrecklich sein wird.«
Dann schloß er leise die Tür.

5

Ich wähnte mich im Besitz von drei Anhaltspunkten. Bahnbrechend war keiner.
Erstens war da die Schwester Diane in San Diego. Auch wenn es unwahrscheinlich schien, daß Stephanie bei ihr war, mußte ich mich persönlich davon überzeugen. Vielleicht konnte Diane mich über die »Probleme« der Schwester aufklären.
Zweitens war da der Frauenheld Ken aus dem Lion's Lair. Möglich, daß er Dinge über Stephanie wußte, von denen die Familie nichts ahnte. Genaueres wollte ich noch am Abend herausfinden.
Drittens war da Joes Geschäftspartner, der Friseur Sal.
Salvatore Mangieri hatte auf der Namensliste gestanden, die ich von Bellano erhalten hatte. Er gehörte zu dem Personenkreis, der Stephanie zuletzt gesehen hatte.
Ich musterte meine dunkelbraune Haarpracht. Ein anständiger Schnitt war jederzeit vertretbar.
Bellanos Salon lag in der Thirty-second Avenue nahe dem Lowell Boulevard. Es handelte sich um einen schlichten Friseurladen, nicht um einen Schönheitstempel. Hier gab es weder schicke Pflanzenarrangements noch Musik oder High-Society-Zeitschriften in geflochtenen Körben. Ebensowenig verfügte der Laden über einen Kühlschrank mit eisgekühlten Getränken.
Und es gab vor allem keine Frauen.
Das Haarschneiden in Joes und Sals Laden war eine reine Männerangelegenheit. In jeder Hinsicht.
In der Ladenmitte standen auf schwarzweißem Kachelfußboden zwei altmodische, chromblitzende Friseurstühle mit roten Lederpolstern und mechanischer Höheneinstellung. Im Hintergrund befand sich ein Regal mit farbenfrohen Flaschen mit dünnen Hälsen, die den Duft von Piment und Haselnußöl verströmten. An der gegenüberliegenden Wand standen eine lange, gepolsterte Bank aus Stahlrohr und ein alter Tisch. Auf letzterem lagen kreuz und quer durcheinander Exemplare der *Police Gazette* und der *Sports Illustrated*. Auf einem Regal ganz oben flimmerte ein Fernsehapparat mit defektem Ton.
Als ich durch die Tür trat, schlug eine Glocke an. In der Spiegelwand gegenüber, sah mir mein Konterfei vielfach entgegen.
Sal hatte einen Kunden auf seinem Stuhl. Der andere Stuhl war mit einem weißen Tuch überdeckt.

Sal nickte mir zu. Ich setzte mich auf die Bank und wartete. Schließlich war ich an der Reihe. Ich nahm auf Sals Stuhl Platz. Sal war ein kleiner Mann Anfang Sechzig, mit blauen Augen, dichtem weißem Haar und Mittelscheitel.
»Nur wenig schneiden«, sagte ich ihm. Bei Joe und Sal wurde nie viel geredet. Jeder wußte auch so, was zu tun war.
Sal stopfte ein Kleenex in meinen Kragen und breitete ein blaugestreiftes Handtuch über meine Schultern. Dann massierte er eine übelriechende Flüssigkeit in meine Kopfhaut ein. Er hatte harte, kräftige Fingerkuppen. Sal liebte seine Arbeit. Als er fertig war, kämmte er mein Haar glatt und zückte das Rasiermesser.
»Ich bin Jacob Lomax«, sagte ich.
»Nett Sie kennenzulernen.« Sal schnitt ungerührt weiter.
»Ich bin Privatdetektiv.«
»Aha?« Die nächste Haarsträhne fiel dem Messer zum Opfer.
»Joseph hat mich einen Tag vor seinem Tod engagiert.«
Die Hand mit dem Messer hielt inne. »Engagiert?«
»Um Stephanie zu finden.«
»Ist sie wieder da?«
»Noch nicht. Ich habe gehofft, Sie könnten mir was über sie erzählen. Etwas, das hilft, sie zu finden.«
»Ich?« Das Rasiermesser trat wieder in Aktion. »Ich weiß praktisch nichts über Stephanie. Bis letzten Freitag ist sie praktisch nie hier gewesen – jedenfalls seit ihrer Kindheit nicht mehr. Ich hab' sie nur immer zu Weihnachten gesehen. Bei Joe und Ange.«
»Aber Sie haben sie am Tag, als sie verschwand, gesehen.«
»Richtig. Vergangenen Freitag.« Sal bearbeitete meinen Nacken. »Kurz nach Joes Verhaftung.« Aus Sals Mund klang »Verhaftung« wie eine Geschlechtskrankheit.
»Was ist an dem Freitag passiert?«
Sal schnitt ungerührt weiter. Es dauerte eine Weile, bis er antwortete.
»Sie suchen die kleine Steph also immer noch?«
»Ja.«
»Was genau wollen Sie wissen?«
»Erzählen Sie mir nur, was an jenem Morgen passiert ist.«
Sals Rasiermesser sauste durch die Luft und streifte meinen Hals. Ich zuckte zusammen. »In ein paar Tagen ist das Haar wieder drüber gewachsen«, tröstete er mich. »Also, warten Sie. Wir hatten Freitag den Laden gerade geöffnet, als die Bullen reinkamen. Sie

haben Joe mitgenommen. Er durfte nicht mal den Kunden weiter bedienen, den er gerade auf dem Stuhl hatte. Unglaublich! Das mußte ich übernehmen. Und ich hatte weiß Gott schon alle Hände voll zu tun. War schließlich Freitag! Freitag und Samstag machen wir unser Hauptgeschäft.«

»Wann kam Bellano zurück?«

»Darauf komme ich gleich. Also, hier war die Hölle los. Joe war nicht da. Alle wollten wissen, was los ist. Ein paar waren ehrlich besorgt, andere waren nur ärgerlich, weil sie keine Wetten plazieren konnten.«

»Warum sind Sie nicht eingesprungen?« fragte ich unschuldig.

Sal hielt abrupt inne. Schere und Kamm verharrten bewegungslos über meinem Kopf. Unsere Blicke trafen sich im Spiegel.

»Ich bin Friseur, Mann«, entgegnete er erregt. »Kein verdammter Buchmacher!«

Ich glaubte ihm. Allerdings hatte er sich zwanzig Jahre lang mit einem Partner und Buchmacher arrangiert. Und das stillschweigend.

»Wann ist Bellano zurückgekommen?«

»Mittags«, antwortete Sal zähneknirschend. Er stutzte meine Koteletten und piekste mich mit der Schere in die Schläfe. Ich schluckte auch das.

»Sie haben ihn wie einen Helden gefeiert«, fuhr Sal bitter fort. »Alle wollten sich totlachen. Joe ganz besonders. Dann kam Stephanie rein.«

»Wann war das?«

Sals Schere ritzte auch die Haut an meiner rechten Schläfe. Vermutlich aus Gründen der Ausgewogenheit. »Das Mädchen war außer sich. Sie heulte und kreischte gleichzeitig. Ich glaube, Joe hatte sie so noch nie erlebt. Er war einfach sprachlos. Dann hat er versucht, es auf die leichte Schulter zu nehmen. Erst als Steph nicht mit ihren Tiraden aufgehört hat, ist ihm das Lachen vergangen.«

»Was genau hat sie gesagt?«

»Daß er ihr Vertrauen gemein mißbraucht habe. Daß er ein Verbrecher sei, wie die anderen.«

»Die anderen? Welche anderen?«

»Keine Ahnung. Jedenfalls hat sie ihm vorgeworfen, seine Familie mit schmutzigem Geld ernährt und sie belogen und betrogen zu haben. Joe hat versucht, sie zu beruhigen, aber vergeblich. Dann hat Stephanie geschrien: ›Ich will nichts, was du mit deinem drekkigen Buchmachergeld gekauft hast.‹ Und hat ihm ihre Autoschlüssel vor die Füße geworfen. Die Jungs haben laut gelacht, was Joe wütend gemacht hat. Was Steph dann gesagt hat, hat sogar mich erbost: ›Hoffentlich stecken sie euch alle ins Gefängnis. Da gehört ihr nämlich hin.‹«

»Alle?«

»Ich glaube, sie meinte mich, Joe und die Kunden.«

»Warum?«

»Vermutlich, weil sie annahm, daß sämtliche Anwesenden nur da waren, um Wetten abzuschließen.«

»Aha.«

»Dabei halte ich überhaupt nichts von Glücksspielen«, erklärte Sal beleidigt.

»Richtig. Stephanie hat also gesagt, sie hoffe, ihr kommt alle ins Gefängnis. Und dann? Ist sie dann rausgelaufen?«

»Nicht sofort«, widersprach Sal. Er legte die Schere beiseite und kämmte mein Haar. Ich war fertig.

»Was ist passiert?«

»Passiert ist eigentlich gar nichts. Stephanie wirkte plötzlich zu Tode erschrocken.«

»Erschrocken? Wovor?«

»Vor irgend jemandem im Laden natürlich.« Sal entfernte das Kleenex aus meinem Kragen.

»Moment mal. Plötzlich soll sie Angst vor jemandem gekriegt haben?«

»Ganz richtig. Zuerst hat sie doch überhaupt niemanden so richtig wahrgenommen, kapiert? Sie hat nur ihren Vater gesehen. Aber nachdem sie das mit dem Gefängnis gesagt hatte, hat sie in die Runde geblickt. Und da ist sie erschrocken, hat sich umgedreht und ist weggelaufen.«

Sal bearbeitete meinen Nacken mit einem Pinsel.

»Ist sonst noch jemandem aufgefallen, daß sie Angst zu haben schien?«

»Joe. Natürlich dachte er, sie habe Angst vor ihm. Er hat so was gesagt wie: ›Hast du das gesehen? Endlich ist ihr klargeworden, was sie ihrem Vater angetan hat. Noch heute abend entschuldigt sie sich bei mir. Du wirst sehen.‹«

»Und Sie glauben nicht, daß sie vor Joseph Angst hatte?«

»Nein.«

»Warum nicht?«

Er nahm das Handtuch von meinen Schultern und schüttelte es aus. »Weil sie gar nicht Joe, sondern die Kunden angesehen hat. Einen nach dem anderen. Irgend jemand muß sie völlig verstört haben.« Sal griff nach dem Besen und begann meine Haare aufzufegen. Ich stand auf und nahm ein paar Scheine aus der Tasche.
»Wer ist denn alles hiergewesen? Erinnern Sie sich noch?«
»Denke schon.« Sal stützte sich auf den Besen. »Ich hatte Stan Fowler unter dem Messer. Joe hat ... warten Sie ... ich sehe sein Gesicht vor mir, aber sein Name fällt mir nicht ein. Und ...«
»Stan Fowler, der mit dem Media-Markt?«
»Genau der. Auf der Bank saßen noch zwei Kunden. Einer war Gary Rivers ... ja. Und der andere war ein ...« Sal sah zur Tür und senkte die Stimme. »... ein kleiner Lude namens Johnny Toes Burke.«
»Sind Sie sicher, daß das alle waren?«
»Ganz sicher.«
»Wer war die Nummer vier? Der auf Bellanos Stuhl?«
»Ich habe ihn schon hundertmal gesehen. Der Name liegt mir auf der Zunge.«
Ich gab Sal meine Karte.
»Wenn Ihnen der Name einfällt, rufen Sie mich an.«
Er steckte die Karte ein.
»Mann, das Mädchen war völlig verängstigt«, wiederholte Sal. »Zu Tode erschrocken.«

6

Ich fuhr nach Hause.
Seit Bellanos Beerdigung am Vormittag war ich aus meinem dunkelblauen Anzug nicht mehr herausgekommen. Ich duschte mich, zog Hose und Pullover an und öffnete eine Flasche Labatt.
Stephanie war von zu Hause weggelaufen. Soviel war klar. Nun hatte sich noch eine neue Perspektive eröffnet. Laut Sal war sie nicht vor ihrem Vater, sondern vor einem Kunden des Friseurladens davongelaufen: vor Stan Fowler, Gary Rivers, Johnny Toes Burke oder dem noch unbekannten vierten Mann. Sal vermochte nicht zu beurteilen, wer Stephanie so erschreckt hatte. Hatte Bellano es gewußt? Ich hatte meine Zweifel. Sicher hätte er es mir gesagt.

Vielleicht war Stephanie nicht nur vor einem, sondern vor allen vieren oder einer bestimmten Konstellation der Anwesenden davongerannt. Die drei Männer, deren Namen Sal genannt hatte, waren mir nicht unbekannt. Für einen Kinderschreck hielt ich jedoch keinen von ihnen. Warum also Stephanies Entsetzen?
Möglicherweise war dieses Motiv auch schuld, daß Stephanie nach dem Tod des Vaters nicht nach Hause zurückgekehrt war. Sie hatte noch immer Angst. Sie hielt sich versteckt. Vielleicht aus gutem Grund.
Das »Warum« war im Augenblick allerdings Nebensache. Viel mehr interssierte mich das »Wo«. Ich hoffte, der Mann namens Ken konnte weiterhelfen.
Zuerst jedoch brauchte ich etwas zu essen.
Das Sandwich aus der Tüte mit Rachel Wynn war meine letzte Mahlzeit gewesen. Ich bereitete mir ein Sandwich mit Schinken, Cheddar, roten Zwiebeln und etwas Salsa und schob es in den Backofen, bis der Käse geschmolzen war. In der Zwischenzeit genehmigte ich mir ein erstes Bier.

Das *Lion's Lair* liegt ein paar Meilen westlich von Loretto Heights am Wadsworth Boulevard in der Nähe der Hampden Avenue.
Die Kneipe war untere Mittelklasse mit einem Hauch von biederem Glamour. Soviel war schon vom Parkplatz aus klar.
An der Tür stand ein Rausschmeißer. Eine Ähnlichkeit mit Tom Cruise war nicht zu erkennen. Stacey O'Connors Schwarz schien er nicht zu sehen. Dafür war er schlau genug zu sehen, daß ich über einundzwanzig war. Er ließ mich anstandslos passieren.
Drinnen schlugen mir Nikotindunst, gedämpftes Licht und die übliche Geräuschkulisse entgegen.
Das Geschlechterverhältnis an den Tischen, der Bar und auf der Tanzfläche war ziemlich ausgeglichen. Die Musik kam aus der Konserve. Für einen Donnerstagabend war erstaunlich viel los. Das Durchschnittsalter, mich ausgenommen, schätzte ich auf Mitte Zwanzig.
Ich eroberte mir einen Barhocker am Tresen. Neben mir saßen zwei Mädchen im Collegealter. Ich bestellte Flaschenbier und fragte den Barkeeper, ob Ken hier sei.
»Welcher Ken?« fragte er zurück. Offenbar kannte er mehrere Dutzend Kens.
Der Barkeeper war ein großer, muskulöser Bursche in kurzärmeli-

gem weißem Hemd und Krawatte. Nach dem Umfang seiner Oberarme zu schließen, trainierte er eifrig mit Gewichten. Eine Schönheit war er nicht gerade.
»Wie dumm von mir«, seufzte ich. »An den Nachnamen kann ich mich einfach nicht erinnern. Die Damen jedenfalls lieben ihn. Soll hier gelegentlich als Rausschmeißer arbeiten und scheint Anteile an dem Laden hier zu besitzen.«
»Ken Hausom«, sagte mein Gegenüber prompt.
»Bingo. Das is' er. Ist er da?«
»Sehen Sie sich doch um.«
»Das ist ja gerade das Dilemma«, seufzte ich. »Bin ihm bisher nie begegnet.«
Der Barkeeper neigte den Kopf zur Seite und musterte mich. »Was wollen Sie von ihm?«
»Das ist eine sehr persönliche Sache.«
»Ein Tip genügt.«
»Okay. Ich bin der Talentsucher von der NASA. Wir haben ein Auge auf ihn geworfen.«
Er zwinkerte kurz; aber nur einmal. Dann drehte er sich um und stampfte zum anderen Ende der Theke.
Dort empfingen ihn zwei Bedienungen mit ihren Bestellungen.
»Carl, ich brauche zwei Michelobs, einen Wodka-Tonic und ...«
»Halt die Luft an!« fuhr er sie an und öffnete die Klappe in der Theke. Statt auf mich loszugehen, bahnte sich Carl souverän einen Weg durch die Menge. Er bewegte sich mit der kraftvollen Leichtigkeit eines Nashorns.
Vor einem Tisch mit drei jungen Männern und drei jungen Frauen blieb er stehen. Alle waren adrett gekleidet. Er beugte sich zu ihnen hinunter, sprach kurz mit einem der Männer und kehrte zur Bar zurück.
Besagter Mann stand auf und kam auf mich zu. Ich schwang auf dem Hocker herum. Er war hochgewachsen, aber Ähnlichkeiten mit Tom Cruise erschienen bis auf das dunkle Haar mehr als zufällig. Außerdem grinste er affig.
»Ken Hausom«, stellte er sich vor.
Ich stellte mich ebenfalls vor und schüttelte ihm die Hand. Sie fühlte sich merkwürdig ledern und knochig an. Dann erinnerte ich mich, daß Stacey O'Connor vermutet hatte, er könne Karate. Für das Zerschlagen von Ziegelsteinen brauchte man Gliedmaßen von besonderer Konsistenz.

»Sie wollen mich sprechen, sagt Carl.«
»Ich bin auf der Suche nach einem Mädchen. Sie heißt . . .«
»Tun wir das nicht alle?« Sein blödes Grinsen wurde noch dämlicher. Sein Blick ruhte auf den beiden College-Girls zu meiner Linken. Ich bezweifelte, daß sie alt genug waren, um in der Öffentlichkeit Alkohol trinken zu dürfen.
»Stephanie Bellano«, vollendete ich meinen Satz.
Er wandte den Blick nicht von den Mädchen. Sie erwiderten sein Lächeln.
»Sie wird seit fast einer Woche vermißt. Ihre Eltern haben mich beauftragt, sie zu finden.«
»Darf ich den Damen einen Drink spendieren?«
»Hören Sie mal, Ken«, begann ich. »Ich hab's eilig. Auf Channel 7 gibt's heute abend 'ne Sondersendung, die ich nur ungern verpasse. Da wird gezeigt, wie 'ne Menge Bars geschlossen werden, weil sie Alkohol an Minderjährige ausschenken.«
»Was?« Er sah mich an. Die Mädchen waren vergessen.
»Sie waren vergangenes Frühjahr mit Stephanie zusammen, stimmt's?«
Er musterte mich prüfend. Seine eisgrauen Augen waren kalt.
»Was wollen Sie von mir?«
»Stephanie Bellano.«
Es dauerte eine Minute, dann setzte er sein blödes Grinsen wieder auf.
»Wir sind ein paar Monate zusammen ausgegangen. Na und?«
»Also wissen Sie vielleicht, wo sie sein könnte.«
»Habe sie seit Mai nicht mehr gesehen.«
»Die Sondersendung, von der ich sprach, könnte auch den *Lion's Lair* betreffen.«
»Soll ich Ihnen mal was sagen?« Er bohrte mir zwei Finger in die Brust. »Ich mag Sie nicht.«
»War nie mein Bestreben, Everybodys Darling zu sein. Also, was ist mit Stephanie?«
Er zögerte. Offenbar war er unschlüssig, ob er mich rauswerfen, mit mir reden oder mich einfach stehenlassen sollte.
»Ich hab' sie eine Ewigkeit nicht gesehen. Hören Sie schlecht?« Seine Stimme klang ordinär. Er war sichtlich nervös. »Klar, hab' ich sie mal gebumst. Aber so aufregend war das nicht.«
»Wann genau?«
»Anfang des Frühjahrs. März oder April«

»Und danach?«
»Danach? Nichts danach. Sie wollte heiraten. Da habe ich Schluß gemacht. Ende der Durchsage.«
»Nur noch eine Frage.«
»Und die wäre?«
»Warum sollte ein süßes, intelligentes Mädchen wie Stephanie Bellano ein Arschloch wie Sie heiraten wollen?«
Das Mädchen neben mir zog hörbar die Luft ein.
Ken grinste verkrampft.
»Dafür gibt's einen guten Grund.«
»Welchen?«
»Sind Sie ein Bulle?«
»Privatdetektiv.«
Er nickte. »Ich zeig's Ihnen.«
Damit machte er auf dem Absatz kehrt und zwängte sich durch die Menge. Ich schnappte meinen Mantel und hastete im Zickzack zwischen den Tischen hindurch hinterher. Mit einem Blick zurück, vergewisserte ich mich, daß Carl uns nicht folgte.
In einem langen Korridor auf der Rückseite der Kneipe holte ich Ken endlich ein. An etlichen Wandtelefonen und der Toilette vorbei, gelangte man hier zum Hinterausgang. An der Tür blieb Ken stehen.
»Und Sie sind ganz bestimmt kein Bulle?« wollte er noch einmal wissen
»Der Himmel bewahre, nein!«
»Also gut«, sagte er und machte die Tür auf.
Ich zog meinen Mantel an. Was Ken mir zeigen wollte, war wohl nicht für die Augen der Polizei bestimmt.
Ken und ich traten in die kalte Dezembernacht hinaus. Ich folgte ihm über einen kleinen vereisten Parkplatz, auf dem fünf Autos und ein Lieferwagen standen. Vor einem der Autos blieb Ken stehen. Ich war nur wenige Schritte hinter ihm. Plötzlich wirbelte er herum. Ich wußte instinktiv was kommen mußte, konnte jedoch nichts mehr dagegen tun. Die Jahre und zu viele Biere hatten auch bei mir ihre Spuren hinterlassen. Kens Fuß schnellte auf mich zu und traf mich an der Schläfe.
Ich taumelte rückwärts, ging jedoch nicht zu Boden. Ken bewegte sich in tänzelnden Schritten auf mich zu, die Hände lässig in Brusthöhe vor dem Körper. Den Gedanken, in die Kneipe zurückzulaufen, hatte ich noch nicht zu Ende gedacht, da war er schon vor mir,

hinter mir, neben mir, und schlug aus allen Himmelsrichtungen auf mich ein. Einigen Schlägen konnte ich ausweichen, mußte den Rest jedoch einstecken. Dann traf mich ein Hieb an einer äußerst empfindlichen Körperstelle. Ich ging in die Knie und bot Ken meinen bloßen Nacken praktisch auf dem Tablett an. Der Handkantenschlag ließ nicht lange auf sich warten.
Alle viere von mir gestreckt, knallte ich auf den vereisten Asphalt. Voll bei Bewußtsein, aber wie gelähmt, starrte ich auf den schmutzigen Autoreifen mit Rennfelgen vor mir und hörte Kens Lachen. Sein Atem ging erstaunlich leicht.
»Das war für das ›Arschloch‹«, klärte er mich auf.
Ich versuchte Zehen und Finger zu bewegen. Keine Reaktion. Ich hoffte nur, Ken hatte mir keine chronische Rückgratlähmung beschert.
»Ich sage Ihnen, weshalb Stephanie mich heiraten wollte«, erklärte er über mir. »Weil sie ein braves katholisches Mädchen war, deshalb. Sie war ein so braves katholisches Mädchen, daß sie nicht mal die Pille genommen hat. Natürlich wurde sie schwanger. Ich habe ihr den Laufpaß gegeben. Kapiert?«
Mit einem Tritt in die Rippen, vergewisserte er sich meiner bedingungslosen Aufmerksamkeit. Den brennenden Schmerz nahm ich als gutes Zeichen. Zumindest konnte ich noch etwas fühlen.
»Und soll ich Ihnen was verraten? Eine Sensation im Bett war die Kleine auch nicht.«
Ich hörte wie die Hintertür aufgestoßen wurde.
»Himmel, Ken! Was hast du mit dem Kerl angestellt?« Die Stimme klang nach Carl.
»Er hat nur 'ne kurze Karate-Lektion gekriegt.«
»Wer ist er überhaupt?«
»Ein Arschloch. Und ein Schnüffler.«
»Was macht er denn da?« fragte Carl.
»Er frißt Dreck.«
Carl lachte. Es klang unsicher.
»Okay, das war's«, seufzte Ken. »Gehen wir rein.«
Ich hörte Schritte. Dann fiel die Tür zu. Ich blieb bewegungslos liegen. Es kam mir wie Stunden vor, bis Schmerz und Kälte allmählich neuen Lebenswillen in mir weckten. Zehen und Finger ließen sich versuchsweise wieder bewegen. Ich hob vorsichtig erst den einen, dann den anderen Arm. Ich zog das Knie an. Es funktionierte alles. Mühsam rappelte ich mich auf allen vieren hoch.

Unter meinen Knien schmolz das schmutzige Eis und bildete kleine Pfützen. Meine Hose wurde naß. Ich zog mich an einem Ford Camaro hoch. Meine Beine zitterten, der Magen rebellierte, und mein Nacken fühlte sich wie ein weich geklopftes Kotelett an. Ich ließ den Wagen los. Ich konnte wieder stehen.
Ich machte einen Schritt vorwärts.
Es funktionierte.
Geh zu deinem Wagen, befahl ich mir. Mach daß du fort kommst. Du hast es vermasselt und die Quittung gekriegt. Deine Schuld! Also vergiß es. Fahr nach Hause!
Ich öffnete die Hintertür. Ich ging hinein.
Neben der Herrentoilette an der Wand hingen zwei Münzfernsprecher. Beim ersten blieb ich stehen. Ich hob den Hörer ab und wählte die Nummer des zweiten Münzfernsprechers. Dann drehte ich dem Apparat den Rücken zu und begann eine intensive Unterhaltung mit dem klingelnden Telefon an der Wand hinter mir. Es läutete gut zehnmal, bevor jemand den Korridor entlang gerannt kam, den Hörer abnahm und sich meldete: *»Lion's Lair!«*
»Ken Hausom«, sagte ich, die Hand über der Sprechmuschel. »Es ist wichtig.«
»Warten Sie!«
Der Bursche ließ den Hörer am Kabel herunterhängen und verschwand im Lokal. Ich ging in die Herrentoilette. Die Tür blieb einen Spaltbreit offen. Es dauerte nicht lange, und Ken tauchte im Korridor auf. Er griff nach dem Hörer.
»Hallo?«
Ich war mit einem Schritt hinter ihm, packte ihn beim Haar und rammte sein Gesicht in den Münzfernsprecher. Ken leistete kaum Widerstand. Ich wiederholte die Prozedur, bis er leblos in sich zusammensank. Ich betrachtete ihn mitleidlos. Nase und Mund bluteten, die beiden oberen Schneidezähne fehlten.
»Falsch verbunden«, sagte ich ihm und machte, daß ich wegkam.

7

Freitagmorgen fühlte ich mich wie nach einem Boxkampf. Glücklicherweise jedoch konnte ich das Gefühl von knusprigem Speck genießen und eiskalten Orangensaft schlürfen. Und das war vermut-

lich mehr, als Karate-Ken von sich behaupten durfte. Äußerlich sah man mir nicht an, daß ich zusammengeschlagen worden war. Bis auf ein geschwollenes rotes Auge waren sämtliche Blessuren unter der Kleidung verborgen.
Ich duschte mich und zog mich an. Es kostete Überwindung, nicht zuviel zu stöhnen. Dann rief ich ein paar Fluglinien an. In der Abendmaschine nach San Diego war noch ein Platz frei.
Anschließend rief ich Rachel Wynn an. Ich wollte wisssen, ob sie wegen Stacey O'Connor noch immer wütend auf mich war.
»Guten Morgen,« begann ich.
»Ich bin gerade auf dem Sprung zum Unterricht.« Ihre Stimme hätte mein Ohr am Hörer gefrieren lassen können.
»War Stephanie Bellano schwanger?«
»Was soll das heißen?« Das Eis war schlagartig geschmolzen.
»Na, ob sie ein Kind erwartet hat . . . in guter Hoffnung war?«
»Das hatte ich verstanden. Ich meine, ich habe davon eigentlich keine Ahnung. Man hat ihr nichts angemerkt.«
»Und wenn sie im siebten oder achten Monat gewesen wäre, dann hätte man's gemerkt?«
»Selbstverständlich. Wie kommen Sie darauf?«
Ich erzählte ihr von Ken Hausom. Die kleine Rangelei auf dem Parkplatz verschwieg ich.
»Glauben Sie ihm?« fragte Rachel. Sie klang ehrlich besorgt.
»Ich fürchte ja.«
»Dann muß sie im Sommer eine Fehlgeburt gehabt haben.«
»Oder eine Abtreibung.«
Rachel schwieg einen Moment. »Ob die Eltern davon wissen?«
»Keine Ahnung. Falls es mir mal gelingt, allein mit der Mutter zu sprechen, frage ich. Aber zuerst will ich mit ihrer Schwester in San Diego sprechen. Ich fliege heute abend.«
»Würden Sie . . .«
»Was?«
». . . mich anrufen, wenn Sie zurück sind?«
»Natürlich.«
»Ich mache mir allmählich wirklich Sorgen wegen Stephanie.«
»Dann sind wir schon zu zweit«, erwiderte ich. »Ich melde mich wieder.«
Ich machte mir tatsächlich Sorgen um Stephanie. Sie war seit einer Woche verschwunden. Sie hatte kaum Geld und überhaupt kein Gepäck. Wo wohnte sie? War sie allein? War sie noch am Leben?

Welche Fragen und Vorstellungen mochten erst Angela Bellano quälen?
Ich schloß meine Wohnung ab und fuhr in die Stadt.
Es war Zeit, mir ein paar Informationen von einem echten Polizisten zu holen. Patrick MacArthur war mein Mann. Er war erst vor kurzem zum Chef des Mord- und Raubdezernats befördert worden, also nur noch einen kleinen Schritt vom Captain entfernt.
MacArthur und ich hatten uns während der gemeinsamen Zeit auf der Police Academy angefreundet. Seine Frau hatte alles darangesetzt, mich mit einer Freundin zu verkuppeln. Letztendlich hatte sie auch eine gefunden, die mich mochte. Ich hatte sie geheiratet.
Ein paar Jahre später war Katherine ermordet worden. Ich hatte einen Nervenzusammenbruch erlitten und MacArthur hatte mir wieder auf die Beine geholfen.
Seit dieser Zeit waren wir getrennte Wege gegangen. Wir waren noch immer Freunde, aber auf eine andere Art. Er hatte seine Karriere und seine Familie, ich hatte ... tja, was immer ich eben hatte.
Er war zu den Schaltstellen der Macht emporgestiegen, ich gehörte noch immer zum Fußvolk. Und die Freundinnen seiner Frau waren mittlerweile alle unter der Haube.
Der Portier im Präsidium gab mir einen Passierschein. Ich ging hinauf.
MacArthur telefonierte. Er deutete auf einen Stuhl.
Sein Hemd war blaßblau mit weißem Kragen, und seine Krawatte war schätzungsweise einen halben Hunderter wert. Seine Fingernägel waren frisch manikürt. Sein äußeres Erscheinungsbild entsprach eher einem Manager als einem Polizisten. Mac Arthur beendete sein Telefonat.
»Lange nicht gesehen, Jake. Was ist mit deinem Hals?«
»Wieso?«
»Du hältst dich so komisch steif.«
»Ich bin hingefallen. Auf einem vereisten Parkplatz.«
»Also das übliche.« Er warf einen Blick auf seine goldene Armbanduhr. »Ich habe zehn Minuten. Was gibt's?«
»Joseph Bellano. Irgendwelche Hinweise auf den Täter?«
»Persönliches Interesse?«
»Einen Tag bevor man ihn in die Luft sprengte, hatte er mich engagiert; ich sollte seine Tochter Stephanie finden.«
»Weißt du, wo sie ist?« fragte er pointiert.
»Interessiert sie dich?«

»Kann man wohl sagen.«
»Warum?«
»Du bist zuerst dran, Jake. Was hast du über das Mädchen rausgefunden?«
Bei jedem anderen hätte ich nicht so bereitwillig Auskunft gegeben. Ich wußte, daß MacArthur sich revanchieren würde. Also erzählte ich ihm von Stephanies Verhältnis mit Ken Hausom, und ihrer offensichtlichen Angst vor den vier Männern in Bellanos Friseurladen. Stirnrunzelnd notierte MacArthur sich die Namen.
»Wir haben mit Bellanos Partner Sal gesprochen. Uns hat er von alledem nichts gesagt.«
»Vielleicht machen Bullen ihn nervös.«
MacArthur spitzte den Mund. »Und Sal konnte sich an den Namen des vierten Kunden nicht erinnern?«
»Richtig.«
MacArthur schob mir das Telefon zu. »Hilf seinem Gedächtnis nach.«
»Jetzt?«
»Jetzt!«
Das Rufzeichen ertönte achtmal, bevor Sal sich meldete. Er war beschäftigt. Ich fragte ihn, ob ihm der Name des vierten Mannes eingefallen sei.
»Stan Fowler«, wiederholte er. »Gary Rivers, Johnny Toes Burke und Mitch Overholser.«
»Mitch Overholser«, wiederholte ich. MacArthur schrieb ihn auf.
»Wer soll das sein?«
»Ich weiß nur eines«, erwiderte Sal angewidert. »Er ist ein fanatischer Spieler. Meine Kunden warten.«
Damit legte er auf.
»Hast du mit diesen vier Typen gesprochen?« wollte MacArthur wissen.
»Noch nicht.«
»Gut. Dann laß es.«
»Warum?«
»Weil sie Zeugen in einem Mordfall sind. Misch dich da nicht ein.«
»He, ich habe dir gerade die vier Namen verschafft.«
Er zog sein Telefon wieder zu sich heran und schwieg.
»Außerdem suche ich Stephanie Bellano . . . und nicht den Mörder ihres Vaters«, sagte ich.
MacArthur sah durch das Fenster, das uns vom Bereitschaftsraum

trennte, in dem heftiger Betrieb herrschte. Er wollte mir etwas sagen. Sein Blick schweifte in meine Richtung.
»Wir haben das nicht an die Presse gegeben. Du weißt, wie das ist, wenn erst die Verrückten anfangen, bei uns anzurufen. Also kein Wort nach draußen.«
Ich wartete.
»Ich meine das verdammt ernst, Jake.«
»Schon gut, schon gut.«
Er zögerte. »Die Bombe, die Joseph Bellano getötet hat, lag nicht in seinem, sondern in Stephanies Wagen.«
»Was?«
»Seine Frau hat uns erzählt, daß sein Wagen an jenem Morgen nicht angesprungen ist. Deshalb ist er ins Haus zurückgekommen, hat die Schlüssel von Stephanies Wagen geholt und sich auf diese Weise postwendend ins Jenseits befördert.«
»Sie haben versucht, Stephanie umzubringen? Aber warum?«
»Das fragen wir uns auch. Ich kann kaum glauben, daß die Bombe für sie bestimmt sein sollte.«
»Jetzt versteh' ich gar nichts mehr. Du hast doch gerade gesagt ...?«
»Ich weiß, ich weiß. Aber wenn du davon ausgehst, daß sie getötet werden sollte, paßt nichts mehr zusammen. Nehmen wir zum Beispiel die Methode. Eine Autobombe ist typisch für das organisierte Verbrechen. Das Labor hat sie übrigens als Landmine aus Amerikanischen Armeebeständen identifiziert. Sie stammt vermutlich aus ...«
»Großer Gott!«
»... aus einem Überfall auf das Waffenlager Camp George West. Dabei wurden auch Sturmgewehre und Handgranaten gestohlen. Das war jedenfalls der Job eines Profis. Und Profis sprengen normalerweise keine College-Girls in die Luft. Womit wir bei einem anderen Problem wären: das Motiv. Warum sollte die Cosa Nostra ein achtzehnjähriges, unschuldiges Mädchen umbringen? Mit den Geschäften ihres Vaters hatte sie nichts zu tun. Soviel man mir gesagt hat, hat sie bis zu dem Tag, an dem sie durchgebrannt ist, nicht mal gewußt, daß ihr Vater als Buchmacher arbeitete. Das Motiv bringt uns wieder zu Bellano. Er war das wahrscheinlichere Opfer. Zumindest für einen Mann wie Fat Paulie DaNucci.«
»Warum sollte dann ...?«
»Warte. Außerdem wußte jeder, daß Stephanie verschwunden

war. Ihre Eltern hatten in der ganzen Stadt nach ihr gefragt. Die Bombe in ihrem Auto konnte also bestenfalls ein Zufallstreffer sein. Wer sollte vorhersehen, wann Stephanie wieder auftauchen würde? Die Chance war groß, daß ein unschuldiger zu Schaden käme.«

»Vielleicht ist genau das passiert.«

»Vielleicht.«

»Aber du glaubst es nicht?«

»Ich habe meine Zweifel.«

Ich schüttelte den Kopf. »Bin ich schwer von Begriff, oder was? Nehmen wir an, DaNucci oder wer auch immer wollte Bellano töten. Warum zum Teufel hat er dann die Bombe nicht in sein Auto installiert?«

»Aus gutem Grund.«

»Wie bitte?«

»Angela Bellano kann nur mit Automatik fahren.«

»Was?«

»Das hat sie uns gesagt, und alle, die sie kennen, wissen das. Bellanos Wagen hatte ein Automatikgetriebe. Der Wagen von Stephanie hatte eine normale Knüppelschaltung. Wenn man eine Bombe in Bellanos Wagen plazierte, hätte es gut auch seine Frau erwischen können. Nur in Stephanies Auto konnte man sicher sein, Bellano zu treffen. Besonders, wenn sein Wagen nicht anspringt.«

»Es sei denn, Stephanie startete ihren Wagen.«

»Exakt.«

Er wartete, bis ich alles begriffen hatte.

Es dauerte nicht lange. »Angenommen, die Bombe war für Bellano bestimmt, dann hat der, der sie installierte, gewußt, daß Stephanie nicht zu Hause ist.«

»Und wer hätte das besser wissen können als das Mädchen selbst.«

»Ich hör' wohl nicht richtig! Soll das heißen, du glaubst, Stephanie hat was mit dem Tod ihres Vaters zu tun?«

»Es ist möglich.«

Da war ich anderer Ansicht. Aber vielleicht war MacArthur deshalb ein Lieutenant, während ich mich als Freiberufler abrackerte.

»Habt ihr Beweise gefunden, daß an Bellanos Wagen manipuliert worden ist?«

»Nicht hundertprozentig. Dazu war zuviel kaputt. Könnte natürlich sein, daß zwei Fehler zufällig zum Erfolg geführt haben. Ge-

hen wir davon aus, daß der Sprengsatz für Bellano bestimmt war. Aber der Bombenleger vermasselt die Tour und installiert den Sprengstoff im falschen Auto. Das ist gar nicht so abwegig. Beides waren Fords derselben Modellreihe, der eine schwarz, der andere dunkelblau. Der Bombenleger hatte einfach nur Glück, daß Bellanos Wagen nicht angesprungen ist.« MacArthur sah auf die Uhr. Er stand auf. »Ich habe jetzt gleich eine Besprechung. Übrigens gibt es noch einen Grund, warum wir glauben, daß Bellano getötet werden sollte«, fuhr er fort und zog seinen Mantel an.
»Und der wäre?«
Er trat hinter seinem Schreibtisch hervor und sah mich an. Wir waren gleich groß. War ich früher nicht größer gewesen? Entweder hielt ich mich schlecht, oder er hielt sich ungewöhnlich aufrecht.
»Die Öffentlichkeit weiß auch davon nichts.«
»Ich kann schweigen wie ein Grab.«
»Falls du was Neues über Stephanie Bellano erfährst, kommst du damit sofort zu mir. Einverstanden?«
»Großes Pfadfinder-Ehrenwort.«
Er zog eine Grimasse.
»Bellanos Unterlagen sind zerstört worden.«
»Seine Unterlagen?«
»Seine Geschäftsbücher als Buchmacher. Er hatte alles auf Disketten gespeichert. Wir hatten die Unterlagen wie bei einem Dutzend anderer Buchmacher beschlagnahmt. Sie lagen hinter Schloß und Riegel in unserem Archiv. Normalerweise ist das bombensicher. Als wir die Disketten überprüfen wollten, waren sie zerstört.
»Einfach so?«
»Einfach so. Bellano war der einzige, der mit Computer arbeitete. Jemand hat ein Magnetfeld errichtet, das die Disketten in unserem Archiv zerstört.«
»Durch ein Magnetfeld?« wiederholte ich.
»Könnte ein unglücklicher Zufall gewesen sein. Aber daran glauben wir nicht. Wir schließen daraus, daß die Dinger wichtige Informationen enthalten haben müssen. Wer die Disketten zerstörte, hat auch Bellano auf dem Gewissen. Das ist meine Meinung.«
»Verstehe.«
»Wir führen eine interne Untersuchung durch. Jemand wird was auf die Finger kriegen.«
Er öffnete mir die Tür. Dann eilte er den Korridor entlang. Ich folgte ihm langsam und nachdenklich.

Ich konnte mir Stephanie Bellano schwerlich als Mörderin ihres Vaters vorstellen. Natürlich war sie vergangenen Freitag furchtbar wütend auf ihn gewesen. Aber Mord? Und weshalb hätte jemand Stephanie umbringen sollen? Auch das wollte mir nicht in den Kopf. Wie machte sich eine College-Studentin einen Todfeind? Besonders einen, der mit Autobomben umgehen konnte?
MacArthur hatte vermutlich recht. Man hatte zuerst Bellano und dann seine Geschäftsunterlagen ausgelöscht.
Das hieß, nicht alle Unterlagen waren dabei vernichtet worden.
Bellano hatte mir erzählt, daß die Polizei eine Kopie seiner Geschäftsbücher übersehen habe. Ich sah mich nach MacArthur um. Er war schon verschwunden. Schade, daß er es so eilig hatte, ich hätte es ihm gern gesagt.
Vermutlich.

8

An jenem Abend flog ich nach San Diego.
Es war spät als ich ankam; zu spät, um Diane Eastbridge unangemeldet aufzusuchen. Also verbrachte ich die Nacht in einem Hotel in der Stadt. Das erste, was ich nach dem Aufwachen sah, war das sensationelle Panorama der North San Diego Bay.
Ich ging unter die Dusche und frühstückte auf dem Zimmer. Ich zog weiße Jeans, Segelschuhe und ein dunkelrotes Polohemd an und setzte eine Ray-Ban-Brille auf. Ich fühlte mich sehr schick. Leider war meine Sonnenbräune längst verblaßt. Die Ortsansässigen mußten mich sofort als Außenseiter erkennen.
Ich fuhr mit dem Leihwagen auf dem Cabrillo Freeway in nördliche Richtung bis zur Ausfahrt Genesee Avenue. Das Ambiente aus Palmen, Kabrios und langbeinigen Frauen veranlaßte mich unwillkürlich zu der Frage, was mich eigentlich im verschneiten und vereisten Denver hielt. Nur die Tatsache, daß man dort garantiert weiße Weihnachten feiern konnte? Blödsinn! Sonnenbräune war mir lieber.
Ich warf einen Blick auf die Karte und entdeckte, daß ich zu weit gefahren war. Nach ein paar Wendemanövern fand ich Dianes Adresse.
Ich hatte meinen Besuch nicht telefonisch angekündigt. Falls Diane

Stephanie versteckte, dann wußte selbst die Mutter nichts davon. Mich würde sie erst recht nicht ins Vertrauen ziehen.
Dianes Apartment lag in einer von acht Wohneinheiten, die sich hufeisenförmig um einen rot geziegelten Hof gruppierten. Überall standen tropische Pflanzen in Terracotta-Töpfen. Ein alter Mann in Khaki-Hosen und Hawaiihemd fegte ein paar trockene Blätter vom Hof.
»Schönen guten Morgen«, begrüßte ich ihn.
Aus der Nähe betrachtet wirkte seine Haut wie altes Leder.
»Ich suche Diane Eastbridge.«
»Ist zu Hause«, antwortete er. »Wohnung F, direkt dort drüben.«
»Sind Sie der Hausmeister?« wollte ich wissen.
Er hörte auf zu kehren und stützte die Arme auf den Besen.
»Ich bin der Eigentümer dieser Wohnungen, mein Sohn.«
Wie man sich doch täuschen konnte. »Ich wollte Diane und ihre Schwester überraschen.«
Der Alte musterte mich von Kopf bis Fuß. Dann blinzelte er mir mit einem schiefen Lächeln zu.
»Kommen Sie von außerhalb?«
Meine schicke Verkleidung hatte ihn offenbar nicht täuschen können. Ich nahm die Sonnenbrille ab.
»Richtig. Bin auf der Durchreise und wollte mal reinschauen. Sind beide zu Hause?«
»Wußte nicht mal, daß sie 'ne Schwester hat.«
»Ist keine junge Frau bei ihr zu Besuch?«
»Niemand ist bei ihr . . . nur die Kinder.«
Ich ging über den Hof und klopfte an Wohnung F. Diane Eastbridge öffnete selbst. Als ich sie das letzte Mal gesehen hatte, hatte sie Schwarz getragen. Jetzt hatte sie ein grünes Top, blaue Shorts und Sandalen an. Sie war hübscher als Stephanie; zumindest dem Foto nach zu urteilen. Trotzdem gab es eine starke Familienähnlichkeit. Schuld daran waren vor allem die vollen Lippen und die dunklen Schlafzimmeraugen.
»Ja bitte?« Sie runzelte die Stirn. Sie kannte mich nicht. Aber für einen Vertreter hielt sie mich offenbar auch nicht.
»Ich bin Jacob Lomax. Privatdetektiv aus Denver. Ihr Vater hat mich engagiert, um . . .«
»Mein Vater ist tot«, entgegnete sie schroff.
»Das weiß ich. Er hat mich noch am Tag vor seinem Tod beauftragt, Ihre Schwester zu finden.«

»Überrascht mich nicht. Schließlich ist sie vor ihm weggelaufen. Und ich kann sie gut verstehen. Moment mal . . . Hat meine Mutter Sie hergeschickt?«
»Nein.«
»Dann lassen Sie uns in Ruhe. Steph kommt wieder nach Hause, wenn sie mit sich im reinen ist. Adieu!« Sie machte Anstalten, die Tür zu schließen.
»Stephanies Leben ist vielleicht in Gefahr.«
Diane schloß die Tür nicht ganz.
»Stephanie ist nicht vor ihrem Vater davongelaufen«, fuhr ich fort, »sondern vor jemand anderem. Vor jemandem, den sie offenbar sehr fürchtet.«
»Was soll das heißen?«
Ich warf einen Blick über die Schulter zurück. Der lederhäutige Hauseigentümer fegte stumm über saubere Ziegel und horchte mit einem Ohr in unsere Richtung.
»Könnten wir uns drinnen weiter unterhalten?«
Diane zögerte. Schließlich machte sie die Tür weit auf. Ich folgte ihr ins Haus.
Die Zimmer waren klein und mit Rattanmöbeln mit bunten Bezügen hübsch möbliert. Durch einen Bogendurchgang konnte man in die Küche sehen. Dort saß ein kleines Mädchen am Tisch und aß Cornflakes aus einer Schüssel. Ihr älterer Bruder, ungefähr zehn, saß ihr gegenüber und las in einem Comic-Heft.
»Setzen Sie sich«, forderte Diane mich auf.
Ich sank auf das Sofa. Rechts von mir stand ein Rattantisch mit Glasplatte. Das Foto darauf zeigte Diane, die ihre beiden Kinder in den Armen hielt. Vor ihnen lag ein großer englischer Schäferhund. Vielleicht hatte Dianes Ex-Mann das Foto gemacht. Einen Hund hatte ich noch nicht gesehen. Vermutlich hatte er ihn mitgenommen.
Diane nahm mir gegenüber Platz und beugte sich vor. Sie sprach leise. Offenbar wollte sie nicht, daß die Kinder uns hörten.
»Wieso glauben Sie, daß Steph in Gefahr ist?«
Ich hatte bereits beschlossen, ihr nicht zu sagen, daß der Sprengsatz in Stephanies Wagen gelegen hatte. Ich beschrieb Stephanies Auftritt und Flucht aus dem Friseurladen und nannte die vier Kunden mit Namen.
Diane kannte keinen einzigen. Von Stan Fowler hatte sie gehört. Aber auch nur, weil er seit Jahren die Medien in Denver mit seiner Werbung überflutete.

»Und Sie glauben, einer dieser Männer ist hinter Stephanie her?« Sie war besorgt.
»Möglich. Jedenfalls glaubt Stephanie es.«
»Aber weshalb?«
»Das weiß ich nicht.«
»Mein Gott, meinen Sie, es hat etwas mit dem Tod meines Vaters zu tun?«
»Auch das weiß ich nicht. Hat sie sich bei Ihnen gemeldet? Ich meine, nachdem sie von zu Hause weggelaufen ist?«
Diane schüttelte den Kopf. »Ich habe angenommen, daß sie bei einer Freundin ist.«
»Ist sie nicht. Ich habe mit all ihren Freundinnen gesprochen. Das heißt, mit allen, bis auf eine gewisse Chrissie. Mit ihr hat sich Stephanie wohl im Sommer angefreundet. Kennen Sie sie?«
»Nein. Aber wenn es im Sommer war ...«
»Was dann?«
»Steph, unsere Eltern und ich sind normalerweise jeden Sommer zwei Wochen lang am Big Pine Lake gewesen. Vielleicht hat sie Chrissie dort getroffen. Ich glaube, Steph ist vergangenen Sommer sogar ein paar Monate dort gewesen und hat halbtags gearbeitet. Mein Vater glaubte an die läuternde Wirkung von Arbeit.«
»Wo hat sie gearbeitet?«
»Keine Ahnung. Ich bin nicht mal sicher, daß es so war.«
Einige Minuten sprach keiner ein Wort. Ich hörte die Kinder in der Küche mit Wasser planschen.
»Wie war das gemeint«, begann ich schließlich. »Sie könnten verstehen, daß Stephanie weggelaufen sei.«
»Ich verstehe, daß sie vor unserem Vater davongelaufen ist.«
»Weil er ein Buchmacher war?«
»Wie bitte?« Sie hätte beinahe gelacht. »Nein! Das war vielleicht das beste an ihm. Es brachte ihm viel mehr Geld ein als sein dämlicher Friseurladen.«
»Was dann?«
»Weil er ein verdammter Tyrann gewesen ist.«
»Das erstaunt mich.«
»Wirklich? Kannten Sie meinen Vater?«
»Mehr oder weniger. Er hatte ein einnehmendes Wesen.«
»Einnehmend, ja. Aber in der Hinterhand hatte er immer den Stock.«
»Hat er Sie geschlagen?«

»Nein, nein. So war das nicht gemeint. Er hat weder mich noch Steph je angerührt. Aber er hat dafür gesorgt, daß zu Hause immer alles nach seiner Pfeife tanzte. Und zwar ohne Widerrede.« Sie lächelte gequält. »Tu das!« äffte sie Bellano nach. »Mach das ja nicht! Du kannst das anziehen. Das ziehst du nicht an. Mein Gott, ich bin zu Hause fast erstickt!« Sie lächelte scheu und starrte zur Decke. »Entschuldige, Dad«, murmelte sie. »Das war jedenfalls der Grund, warum ich weg bin. Ich hin hierhergezogen, habe einen Job gekriegt, einen Mann getroffen. Er hat mir zwei wunderbare Kinder gemacht. Dann ist er auf und davon. Vielleicht ist er bei mir auch fast erstickt.«
Wir schwiegen erneut.
»Mom, wir sind fertig.«
Der Junge stand in der Tür. Er war schlank und schüchtern, aber die Ähnlichkeit mit Großvater Bellano war unverkennbar.
»Habt ihr alles abgewaschen?« fragte Diane.
»Ja. Gehen wir noch zum Muschelsuchen an den Strand?«
»Ja. Nur noch einen Augenblick.«
Strand! Ich seufzte innerlich. Zu Hause in Denver legten die Leute Schneeketten an. Der Junge verschwand wieder in der Küche. Ich hörte wie die Gartentür auf- und zuging.
»Wußten Sie, daß Stephanie schwanger war?«
Diane sah mich erschreckt an. »Das ist nicht Ihr Ernst! Stephanie?«
»Sie wurde im Frühjahr schwanger. Irgendwann im Sommer hatte sie entweder eine Fehlgeburt oder hat abgetrieben.«
»Das glaube ich nicht. Davon hätte ich gewußt. Mein Gott, meine Eltern wären ausgeflippt.« Sie schüttelte den Kopf. »Eine Abtreibung? Nein. Das hätte meine Mutter mir erzählt. Da bin ich sicher.«
»Vielleicht hat es Ihre Mutter nicht gewußt.«
»Aber wie ...«
Wir dachte beide dasselbe ... Big Pine Lake.
»Vielleicht ist es im Ferienort passiert«, sagte Diane. »Vielleicht versteckt sie sich dort. Allerdings ist das vermutlich der erste Ort, wo mein Vater sie gesucht hätte.«
»Vermutlich. Trotzdem sehe ich nach.«
Ich hörte wie die Hintertür auf- und zuging. Das Geschwisterpaar stand in der Tür, beide hatten einen Eimer in der Hand. Es war Zeit an den Strand zu gehen.

Am Abend flog ich nach Denver zurück. Es war kalt und dicke

Schneeflocken wirbelten durch die Luft. Der ganze Weg vom Flughafen bis zum Pfarrhaus der Holy Family Church war eine einzige Eisbahn.
An der Tür sagte man mir, daß Pater Carbone gerade eine Hochzeitprobe. Ich fand ihn nebenan in der Kirche. Er stand vor dem Altar. Vor ihm ein halbes Dutzend nervöser junger Leute in Straßenkleidung. Ich setzte mich in eine Bank und wartete.
Zwanzig Minuten später war die Probe beendet. Die jungen Leute gingen lächelnd hinaus. Pater Carbone sah mich und kam zu mir. Ich stand auf und ging ihm entgegen.
»Was Neues von Stephanie?« fragte er.
»Ich gehe noch immer Hinweisen nach.«
»Ihre arme Mutter.«
»Ja. Das ist der Grund, weshalb ich hier bin. Ich muß mit ihr sprechen. Als ich es das letzte Mal versucht habe, ist sie in Tränen ausgebrochen und ein Riesenkerl namens Tony hat mich rausgeworfen.«
Der Pater lächelte. »Das war vermutlich Anthony, ihr Bruder.«
»Ich möchte, daß die Familie weiß, daß ich auf ihrer Seite bin. Vielleicht könnte ein Wort von Ihnen . . .«
»Natürlich«, sagte er. »Ich sehe sie morgen nach der Messe. Ist das früh genug?«
»Ja natürlich.«
Wir gingen zur Tür.
»Pater, hat Stephanie Ihnen vergangenen Juni gesagt, daß sie schwanger war?«
Hochwürden ging weiter. Er machte den Mund auf und klappte ihn sofort wieder zu.
»Sind das die ›Probleme‹, von denen Sie sprachen?«
»Wie ich schon sagte, Mr. Lomax, bin ich an die Schweigepflicht als Priester gebunden.«
»Ich weiß. Aber gehen wir mal rein hypothetisch davon aus, daß ein junges, katholisches und unverheiratetes Mädchen schwanger ist und Sie um Rat fragt. Was würden Sie antworten.«
Er schüttelte den Kopf und verzog keine Miene.
»Unmöglich darauf zu antworten. Das hängt von der betreffenden Person und den Umständen ab. Und ich lasse mich auf kein Frage- und Antwortspiel ein.«
Er führte mich durchs Vestibül zum Portal. Dort blieb er stehen. Er wollte mich loswerden.

»Das Leben eines jungen Mädchens könnte auf dem Spiel stehen.«
»Das habe ich verstanden.«
»Ich versuche, ihr zu helfen.«
»Ja. Ja, ich bin sicher, daß Sie das tun, Mr. Lomax.« Er legte die Hand auf den Türknauf. Jederzeit bereit, mich hinauszuwerfen.
»Wenn ein solches Mädchen zu mir käme«, sagte er mit einem Blick auf die Tür, »würde ich sie zuerst über den Vater des ungeborenen Kindes befragen.«
»Und wenn dieser Vater ein mieses Schwein ist, der ihr den Laufpaß gegeben hat und von dem sie keine Hilfe erwarten kann?«
»Würde ich ihr raten, mit den Eltern zu reden.«
Ich bezweifelte, daß Stephanie ihren Eltern oder irgend jemandem etwas erzählt hat.
»Hochwürden, was, wenn das Mädchen Monate später zu Ihnen käme und beichtete, daß sie das Kind habe abtreiben lassen?«
Er musterte mich mit müdem, gequältem Blick.
»Dann würde ich ihr helfen, zu Gott um Vergebung zu beten.«

9

Pater Carbones Verhalten bestätigte mir, was ich längst vermutete: Stephanie hatte im Sommer, und vermutlich in Big Pine Lake, abgetrieben.
Bevor ich der Angelegenheit vor Ort weiter nachging, mußte ich mit Angela Bellano sprechen. Die Gelegenheit dazu sollte sich am darauffolgenden Tag ergeben. Aber das war kein Grund, den Abend sinnlos zu vergeuden. Ich fuhr nach Hause, packte meinen Koffer aus und vertauschte meine Reisekleidung mit der saloppen Kleidung für eine Tour durch die Bars und Kneipen der Stadt.
Ich machte das nicht zum Vergnügen. Ich suchte Johnny Toes Burke.
Johnny Toes Burke war der einzige Kunde aus Joe Bellanos Friseurladen, denn ich persönlich kannte. Und ich brauchte endlich eine Spur von Stephanie.
Allerdings hatte ich Burke Jahre nicht gesehen und keine Ahnung, wo er sich vorzugsweise herumtrieb. In der fünften Bar erfuhr ich schließlich, daß er ein Apartment in Aurora bewohnte und die Kneipe *Bei Terry* an der East Evans Street zu frequentieren pflegte.

Die zweite Neuigkeit war, daß er mittlerweile offenbar für Fat Paulie DaNucci arbeitete.
Gegen zehn kreuzte ich *Bei Terry* auf.
Das Publikum bestand aus Angestellten, Vorarbeitern und Arbeitslosen, die versuchten, die High-Society zu imitieren. Man trug Goldringe, vergoldete Ketten, und die Hemden über der Brust geöffnet. Bei den dazugehörenden Damen wurde ein entsprechender Modestil bevorzugt. Der Alkoholkonsum schien gewaltig zu sein.
Ich ging zur Bar. Einer der Barkeeper sagte mir, daß Johnny Toes an diesem Abend noch nicht dagewesen sei. Ich bestellte ein Bier und wartete.
Gegen elf Uhr kam mein Mann.
Johnny Toes Burke war in seinem limonengrünen Anzug nicht zu übersehen. In jedem Arm hielt er eine Dame des horizontalen Gewerbes. Die eine war schwarz, die andere weiß. Beide waren groß und schlank, trugen Schuhe mit halsbrecherisch hohen Absätzen und überragten Burke um Haupteslänge. Johnny flanierte mit seinen Gespielinnen vor der Bar auf und ab, wobei er sein rechtes Bein stark nachzog und stellte die Damen ausgiebig zur Schau. Schließlich bestellte er eine Flasche billigen Champagner und führte seine Begleiterinnen an einen Tisch am Ende der Bar.
Johnny Toes charakteristische Gangart rührte von einem »Unfall« in seiner Jugend her, an dem die Polizei maßgeblich beteiligt gewesen war. Seither hatte er am rechten Fuß keine Zehen mehr.
Ich ging zu seinem Tisch.
An Burkes Tisch schien man sich bestens zu amüsieren. Lautes Lachen schallte mir entgegen. Johnny runzelte die Stirn, als er mich sah. Den Damen konnte ich die gute Laune nicht so schnell verderben.
»Hallo, Johnny.«
»Was machen Sie hier?«
Unsere letzte Begegnung reichte sechs Jahre zurück. Trotzdem erkannte er mich sofort. Damals hatte ich noch Uniform getragen. Mein Partner und ich hatten Burke und seine Freunde auf frischer Tat bei einem Überfall auf einen Lebensmittelladen geschnappt.
Ich stellte meine Flasche Bier auf den Tisch und setzte mich.
»Wie geht's, wie steht's, Johnny? Willst du mich den Damen nicht vorstellen?«
»Ich bin Doreen«, sagte der weiße Engel. Sie hatte blondiertes Haar, blutrot geschminkte Lippen und falsche Wimpern. Letztere

waren lang genug, um mit jedem Wimpernschlag einen Lufthauch zu erzeugen, der den Leuten die Asche von den Zigaretten wehte.
»Halt die Klappe!« wies Johnny sie in die Schranken.
Doreen zog einen Schmollmund.
»Ich muß mich nicht mit Ihnen unterhalten, Lomax«, klärte Johnny mich auf. »Sie sind kein Bulle mehr.« Er grinste hämisch. »Bei den Bullen sind Sie rausgeflogen, nachdem Ihre Alte ins Gras beißen mußte. Zu tief ins Glas geschaut, was?«
Ich lächelte.
Die schwarze Nutte lehnte sich zurück. Sie hatte die Warnung in meinem Blick verstanden.
»Sie war keine *Alte,* Johnny. Sie war meine Frau. Aber in einem Punkt hast du recht. Ich bin kein Polizist mehr. Trotzdem würde ich keine Sekunde zögern, dir diese Bierflasche so weit in den Hintern zu schieben, daß dir dein blödes Grinsen vergeht.«
Johnnys Adamsapfel hüpfte erregt auf und ab. Er ließ seine rechte Hand unauffällig in die Brusttasche seines Jacketts gleiten. Ich hatte dort gar keine Ausbeulung bemerkt. Die Waffe mußte sehr klein und handlich sein.
»Ich habe keine Angst vor Ihnen«, verkündete er.
»Immer mit der Ruhe. Wir sind schließlich Freunde.«
Ich griff nach der Flasche Champagner und schenkte jedem ein. Die beiden Damen atmeten hörbar auf. Johnny Toes ließ sich nicht täuschen. Er war auf der Hut.
»Sieht aus, als hättest du 'ne Glückssträhne, Johnny. Edle Getränke, gutaussehende Frauen. Hat Fat Paulie dir eine Lohnerhöhung gegeben?«
Burke grinste.
»Oder versäufst du heute die Prämie dafür, daß du eine Bombe in Joseph Bellanos Wagen gelegt hast?«
»Das müssen Sie mir erst mal beweisen«, entgegnete er hämisch. Er spielte den kaltblütigen Killer. Das war alles nur Show. Johnny Toes war ein Feigling.
»Bellano interessiert mich nicht«, fuhr ich fort. »Ich suche Stephanie.«
»Wen?«
»Spiel nicht den Ahnungslosen, Johnny. Ich meine Bellanos Tochter. Sie ist seit einer Woche verschwunden.«
»Tja, wie das Leben so spielt«, bemerkte Johnny Toes und nippte an seiner Edelbrause.

»Warum ist sie davongelaufen?« fragte ich.
»Woher zum Teufel soll ich das wissen?«
»Du bist vergangenen Freitag in Bellanos Laden gewesen. Stephanie kam wütend rein, ist plötzlich zu Tode erschrocken und weggerannt. Du erinnerst dich doch?«
Seine Augenlider klappten herunter wie bei einer Echse.
»Vielleicht.«
»Weißt du, was ich glaube? Sie hatte Angst vor einem von Bellanos Kunden.«
»Angst? Vor mir?« Johnny Toes sah in gespielter Entrüstung in die Runde. »Machen Sie Witze? Ich kann niemandem was zu leide tun. Stimmt's, ihr Süßen?«
Er legte die Arme um seine Pferdchen. Beide lachten.
»Dich habe ich gar nicht gemeint, Johnny. Du könntest nicht mal ein Bambi erschrecken.«
Johnny Toes musterte mich böse.
»Ich dachte eher an die drei anderen Kunden. Was weißt du über sie?«
»Glauben Sie wirklich, ich kann mich noch erinnern, wer noch bei Bellano rumgesessen hat?«
Ich nannte die Namen.
»Klar habe ich von Stan Fowler gehört«, antworete er. »Und von Gary Rivers. Aber erkennen würde ich keinen.«
»*DER* Gary Rivers?« warf die weiße Nutte ein. »Ich habe ihn im Fernsehen gesehen.«
Johnny Toes starrte sie wütend an.
»Was ist denn los?« wollte sie beleidigt wissen.
»Klappe!« zischte Burke.
»Darf man hier nicht mal was sagen? Ich dachte, wir würden heute abend feiern?«
»Wir feiern doch.«
»Entschuldigt, wenn ich unterbreche«, meldete ich mich zu Wort. »Aber was ist mit dem dritten Kunden? Mitch Overholser.«
Johnny Toes starrte mich an. Er nippte an seinem Champagner.
»Klar kenne ich Mitch.«
»Woher?«
»Fragen Sie ihn, Lomax. Wen interessiert schon Bellanos Tochter. Von den Jungs war's niemand. Wenn sie was von Bellano gewollt haben, dann seine Bücher. Nicht seine Tochter.« Johnny Toes fuhr sich mit seiner flinken Zunge über die Lippen. »Schade, hätte die

Unterlagen auch gern gehabt. Aber wie man hört, haben die Bullen alles kassiert.«
»Was interessieren dich Bellanos Bücher?«
»Seine Kundenliste und seine Außenstände? Machen Sie Witze? Bellano hatte ein gutgehendes Geschäft ... Ich meine nicht den Friseurladen. Mit Bellanos Büchern hätte man das schnelle Geld machen können. Man hätte nur Bellanos Außenstände eintreiben müssen.«
»Und um an die Bücher zu kommen, mußte man Bellano aus dem Weg räumen, was?«
»Liegt doch auf der Hand«, antwortete er. »Und jetzt verpissen Sie sich.« Er legte ostentativ die Arme um die Dame seiner Wahl. »Wir wollen uns hier amüsieren, nicht über Leichen reden.«

Was ich Johnny Toes gegenüber verschwiegen hatte, war, daß laut MacArthur Bellanos Disketten zerstört worden waren. Ich allein wußte, daß die Polizei nicht alle Unterlagen hatte sicherstellen können. Es existierte eine zweite Kopie. Ich war neugierig geworden. Einen Hinweis auf Stephanies Aufenthaltsort erhoffte ich mir darin kaum; dafür aber auf Bellanos Mörder.
Aus diesem Grund machte ich Sonntagmorgen, vor meinem von Pater Carbone arrangierten Besuch bei Angela Bellano einen Abstecher bei einer lieben Freundin aus früheren Zeiten.
Ich nahm die Interstate 25 in Richtung Süden und fuhr auf der I-225 zwischen dem schneebedeckten Ufer des Cherry Creek und den verschneiten Grünflächen des Kennedy-Golf-Platzes entlang. An der Parker Road verließ ich die Schnellstraße und lenkte den Olds zu einem kleinen Einkaufszentrum. Dort parkte ich vor dem MicroComp Computer & Software Center.
An die Schaufenster waren Adventskränze gesprüht. Daneben prangte die Werbung für Sonderangebote jeder Art.
Weihnachten stand vor der Tür. Die Chancen, daß der Laden sonntags geöffnet hatte, waren groß. Ich stieß die Glastür auf.
Eine riesige Ausstellungsfläche mit zahllosen Computern, Software und anderem Zubehör empfing mich. Einige Kunden schlenderten zwischen den Verkaufsregalen umher.
Ein Verkäufer kam auf mich zu.
Der Mann war ungefähr dreißig, hatte dichtes, widerspenstiges Haar, vorstehende Zähne, und trug eine Brille mit dicken Gläsern. Sein sportliches Cordjackett mußte sogar älter als mein Olds sein.

»Kann ich helfen, Sir?«
»Ist Zeno da?«
Er musterte mich skeptisch. »Klar.«
Ich folgte ihm durch den Verkaufsraum in das Hinterzimmer, einen grell erleuchteten Raum mit Betonboden und zahllosen Arbeitsnischen, auf denen ausnahmslos Computer standen. Die wandfüllenden Regale enthielten elektronische Teile aller Variationen. Zwei Männer hatten sich über einen Computer gebeugt. In der hintersten Ecke arbeitete eine Frau allein.
»Besuch für dich, Zeno.«
»Bin beschäftigt«, rief sie. Und plötzlich: »Hallo, Jake!«
Eunice Zenkowski, genannt Zeno, sah lächelnd von ihrem Arbeitstisch auf, auf dem sie die Innereien eines Computers ausgebreitet hatte. Zeno trug die üblichen Blue jeans, alte Tennisschuhe und ein dunkles Hemd, dessen lange Ärmel sie über ihren mageren Armen aufgerollt hatte. Sie hatte ein schmales, knochiges Gesicht, dichte dunkle Augenbrauen, schmale, blasse Lippen und ... ein Faible für mich.
»Wie geht's, Zeno?«
»Besser, wenn ich rausgefunden habe, wie es der Besitzer dieser Maschine geschafft hat, drei Festplatten in einem Monat zu verheizen. Was kann ich für dich tun, Jake? Willst du nur mal ›Hallo‹ sagen oder hast du dich endlich entschlossen, dich aus der computermäßigen Steinzeit zu befreien?«
»Nicht direkt«, antwortete ich und sah über die Schulter zurück. Der Verkäufer mit den dicken Brillengläsern machte keine Anstalten, uns allein zu lassen.
»Schon in Ordnung, Milton«, rief Zeno ihm zu. »Jake ist ein alter Freund.«
»Oh.« Milton zögerte kurz, dann entschwand er in den Verkaufsraum.
Nachdem sich die Tür hinter ihm geschlossen hatte, sagte Zeno: »Milton ist ein sehr eifersüchtiger Typ.«
Ich sah sie an und lächelte. Sie wurde rot.
»Du und Milton? Mann, das ist großartig.«
»Es ist ganz okay«, murmelte sie, wich meinem Blick aus und rutschte verlegen auf ihrem Stuhl hin und her. Ich wechselte das Thema.
»Zeno, ich brauche deine Hilfe.«
Zeno lehnte sich erleichtert zurück.

»Du willst also doch einen Computer kaufen.«
Ich schüttelte den Kopf. »Ein Freund, kürzlich verstorben, hatte in seinem Privathaus Geschäftsunterlagen versteckt ... vermutlich in irgendeiner Computerdatei. Ich bitte dich, mir zu helfen, sie zu finden.«
»Was soll das heißen, versteckt?«
»Vor seinem Tod hat er mir erzählt, daß die Polizei sein Arbeitszimmer nach bestimmten Unterlagen durchsuchte und ...«
»Die Polizei?«
»Keine Sorge. Es ist völlig legal. Jedenfalls hat die Polizei Daten übersehen, die sie eigentlich nicht hätte übersehen dürfen.«
»Mann, Jake, ich helfe, wenn ich kann. Aber der Experte im Auffinden von Personen und Gegenständen bist du. Und nicht ich.«
»Das Problem ist eben, daß ich in der computermäßigen Steinzeit lebe. Ich weiß nicht mal, wonach ich suchen muß.«
»Verstehe. Du weißt nicht zufällig, mit welchem Programm dein Freund gearbeitet hat, oder?«
»Programm?«
Sie seufzte. »Mit welcher Computersoftware, Jake.«
»Nein. Ist das wichtig?«
»Möglicherweise. Ich kann mit fast allen umgehen. Wann soll's losgehen?«
»Am besten gleich jetzt. Vorausgesetzt, du hast Zeit.«
Sie sah achselzuckend auf das Chaos auf ihrem Tisch. »Das kann warten. Ich hole nur meine Sachen.«
Ich wartete, während Zeno eine kleine Tasche mit Werkzeug, Disketten und Gerät packte, und folgte ihr zum Ausgang. Milton sagte sie, sie mache einen Kundenbesuch.
Milton blieb von Mißtrauen geplagt zurück.

10

Auf der Fahrt zu Angela Bellanos Haus, begann es zu schneien. Eiskristalle wirbelten von den Hinterrädern der Fahrzeuge vor mir auf und schmolzen, sobald sie die warme Windschutzscheibe des Olds berührten. Zeno öffnete den Reißverschluß ihres Parkas.
»Wie wär's mit ein bißchen Musik?« fragte sie und machte das Handschuhfach auf.

»Das Radio ist dort.«
»Ich suche nach deinen Kassetten.«
»Bei meinem Radio braucht man keine Kassetten.«
»O Gott, Jake«, stöhnte sie und schaltete das Radio ein. »Was, nur UKW?«
»Tut mir leid.«
»Jämmerlich.«
Zeno drehte am Radio herum wie ein High-Tech-Kid an einem Low-Tech-Gerät.
Ich parkte vor dem Haus der Bellanos. Es schneite immer heftiger. Die frisch geräumten Gehsteige waren bereits wieder weiß überzuckert.
Als Angela die Tür öffnete, klopften Zeno und ich noch immer den Schnee von den Schuhen.
»Pater Carbone hat mir gesagt, daß Sie kommen würden.« Sie ließ uns ein.
Ich stellte Zeno als »meine Assistentin, Eunice Zenkowski« vor.
Angela nahm uns die Mäntel ab und führte uns durchs Wohnzimmer. Sofa und Sessel hatten Bezüge in gedeckten Farben und geschwungene Beine aus Walnußholz. Der Weihnachtsbaum am Fenster wirkte verloren in all der Leere.
Wir setzten uns in die Küche. Warme und köstliche Düfte erfüllten sie, obwohl weder etwas auf dem Herd noch im Ofen kochte oder schmorte. Ich hörte in einem anderen Teil des Hauses die Toilettenspülung.
»Darf ich Ihnen Kaffee anbieten?«
Während sie einschenkte, trat ein Mann durch die Küchentür. Er war Ende Vierzig und hatte beachtliche Pockennarben an den Wangen. Er trug ein weißes Hemd und einen marineblauen Pullover, beide wohl in der Größe XL und doch nicht groß genug. Er war der Bursche, der mich beim letzten Mal hinausgeworfen hatte.
»Sie schon wieder«, sagte er.
»Ja, ich schon wieder.«
»Tony, er ist hier, um zu helfen. Vergiß das nicht«, warf Angela ein. »Mr. Lomax, das ist mein Bruder Tony Callabrese.«
Ich machte Anstalten aufzustehen, aber er beachtete meine ausgestreckte Hand gar nicht.
»Gib mir noch 'ne Tasse Kaffee«, forderte er Angela auf. Dann lehnte er sich gegen die Theke, wo er seinen Kaffee trinken und auf mich herabsehen konnte.

»Diane hat mich gestern abend angerufen«, begann Angela. »Sie hat mir erzählt, daß Sie auf der Suche nach Stephanie sogar bei ihr gewesen sind.«
»Richtig.«
»Sie waren ihr sympathisch.«
Tony schnaubte verächtlich und verschränkte die Arme vor der Brust.
»Trotzdem frage ich mich, weshalb Joseph mir nichts davon gesagt hat, daß er Sie engagiert hat.«
»Ich weiß es auch nicht. Vielleicht hat er befürchtet, daß es Ihnen nicht gefällt, wenn er einen Fremden mit der Sache betraut.«
»Mir jedenfalls gefällt das ganz entschieden nicht!« warf Tony ein.
»Wenn dadurch mein kleines Mädchen gefunden wird ...«
»Was hat er bisher in dieser Richtung erreicht?« Tony sah mich an.
»Was haben Sie erreicht, Großmaul?«
Tony wollte mich provozieren. Er brauchte ein Alibi, um mich erneut hinauswerfen zu können, das schien sein Hobby zu sein. Ich wandte mich an Angela.
»Bis jetzt habe ich mit ihren Freundinnen vom College, ihren Lehrern, ihrem Feund und ...«
»Freund?« Angela sah mich erstaunt an. »Sie hat mir nie gesagt, daß sie einen Freund hat.«
Sie hatte auch nie gesagt, daß sie schwanger war, dachte ich. Vorerst wollte ich Angela jedoch diese bittere Pille ersparen.
»Sie hat ihn wohl im Frühjahr kennengelernt«, antwortete ich laut. Meine Nackenmuskeln verkrampften sich automatisch. »Er ist ein eher unangenehmer junger Mann. Ken Hausom ist sein Name.«
Angela runzelte die Stirn. »Ein Student?«
»Nein.« Ich ließ es dabei bewenden. »Mrs. Bellano, kennen Sie ein Mädchen namens Chrissie?«
»Ich ... nein.«
»Stephanie hat sie offenbar im Sommer getroffen. Diane meinte, es könne in Big Pine Lake gewesen sein.«
»Oh!«
»Sind Sie diesen Sommer dort gewesen?«
»Ja. Wir sind seit Jahren jeden Sommer dort. Joseph mietet immer für zwei Wochen ein Häuschen am See. Die ... die Mädchen haben es geliebt. Dieses Jahr ... und schon vergangenes Jahr ... ist Stephanie nach unserer Abreise noch gelieben. Joseph hatte ihr einen Job besorgt. Nur für den Sommer.«

»Wo?«
»Beim öffentlichen Gesundheitsdienst. In der Praxis des Amtsarztes. Sie hat am Empfang gearbeitet.«
»Aha. Hat sie das Häuschen den ganzen Sommer über bewohnt?«
»Nein. Das wäre zu teuer gewesen. Außerdem war es für eine Person zu groß. Wir hatten Stephanie in einer Pension untergebracht.«
»Haben Sie die Adresse?«
»Ich hole sie.«
Sie ging aus der Küche. Zeno und ich saßen schweigend am Tisch. Tony ließ uns nicht aus den Augen. Schließlich kam Angela Bellano zurück. Sie reichte mir einen Zettel mit einer Adresse und einem Namen. Mrs. Henderson, las ich.
»Sie ist die Besitzerin«, erklärte Angela. »Aber wir haben sie schon angerufen. Stephanie ist nicht bei ihr.«
Ich nickte und steckte den Zettel ein.
»Mrs. Bellano«, begann ich. »Sal hat mir erzählt, daß Stephanie zu Tode erschreckt war, als sie aus dem Laden Ihres Mannes davonlief.«
Sie nickte. »Joseph hat gesagt, sie habe Angst gehabt. Er war überrascht ... überrascht über einen solchen Ausbruch. Und er war verletzt.«
»Sal hatte nicht den Eindruck, daß es Ihr Mann gewesen ist, der Stephanie Angst eingejagt hat.«
»Wie meinen Sie das?«
»Er glaubt, daß sie sich vor einem der vier Kunden im Laden gefürchtet hat. Stan Fowler, Gary Rivers, Mitch Overholser oder Johnny Burke«, zählte ich auf. »Kennen Sie einen von ihnen?«
»Gary Rivers? Der aus dem Radio?«
»Richtig.«
»Ich glaube, Joseph hat mal seinen Namen erwähnt. Und ich bin sicher, daß er auf der Beerdigung war.«
»Was ist mit den anderen?«
Sie schüttelte den Kopf. »Nie gesehen, nie gehört.«
»Ich kenne diesen Johnny Toes.«
Ich sah Tony an.
»Vom Hörensagen, meine ich. Er ist ein Ganove.«
»Hatte Joseph mit einem von ihnen geschäftlich zu tun?«
Tony zuckte die Schultern und sah Angela an.
»Keine Ahnung«, seufzte sie. »Aber vielleicht haben sie bei ihm Wetten abgeschlossen.«

»Genau das möchte ich herausfinden«, sagte ich. »Deshalb habe ich Miss Zenkowski mitgebracht.«
Tony und Angela sahen Zeno an. Zeno wirkte verlegen. Sie hatte bisher schweigend dabeigesessen.
»Mrs. Bellano, als die Polizei die Geschäftsunterlagen Ihres Mannes beschlagnahmte, hat sie da das ganze Haus durchsucht?«
»Nein. Nur sein Arbeitszimmer.«
»Verstehe. Joe hat mir gegenüber behauptet, es existiere noch eine Kopie seiner Unterlagen, die die Polizei übersehen habe. Dürfte ich mich mit Miss Zenkowski mal im Arbeitszimmer Ihres Mannes umsehen?«
»Ich denke, das ist schon in Ordnung.«
»Moment mal!« Tony sah von mir zu seiner Schwester. »Ange, du läßt doch wohl diesen Kerl nicht in Joes Sachen herumschnüffeln, oder?«
»Wenn es hilft, Stephanie zu finden ...«
»Blödsinn! Du kennst den Kerl doch gar nicht. Er könnte, wer weiß wer sein!«
»Tony, bitte. Laß es gut sein. Ich ...«
»Nein, es ist nicht in Ordnung. Ich habe kein gutes Gefühl bei diesem Burschen. Ist mir egal, daß Joe ihn angeheuert hat. Für mich wirkt der Kerl nicht echt.«
Angela schüttelte den Kopf und stand auf. Zeno und ich folgten ihrem Beispiel.
»Bitte kommen Sie mit«, forderte Angela uns auf.
»Nein!« Tony vertrat mir den Weg. »Das lasse ich nicht zu.«
Angela wurde wütend. »Das ist mein Haus, Tony. Hast du verstanden? Mein Haus! Ich bestimme, was hier passiert.« Tony sah sie verdutzt an. Dann wandte er sich beleidigt ab. »Tony, es ist in Ordnung, wenn sie nachsehen. Das tut niemandem weh.« Angela Bellano drehte sich zu mir um. «Mr. Lomax ... Miss ...«
»Zeno«, half Zeno ihr.
»Bitte folgen Sie mir.«
Angela Bellano führte uns durchs Wohnzimmer und einen Korridor entlang an mehreren Schlafzimmern und einem Badezimmer vorbei. Das Eckzimmer an der Hausfront war Josephs Arbeitzimmer gewesen. Die Tür war zu, aber nicht verschlossen.
Angela stieß sie auf und bedeutete uns, hineinzugehen. Sie blieb auf der Schwelle stehen.
»Das ist Joes Zimmer«, erklärte sie. »Hier hat er gearbeitet, wenn er

nicht im Frieseurladen war. Den Computer hatten wir eigentlich vor zwei Jahren für Stephanie gekauft. Aber sie hat ihn kaum benutzt. Deshalb hat Joe ihn genommen. Er war sein Spielzeug. Falls Sie was brauchen, ich bin in der Küche.«
Sie ging. Ich machte die Tür zu.
Nur wenige Fotos schmückten die weißen Wände. Es waren ausnahmslos Familienfotos. An einer Wand stand eine Schlafcouch. Daneben war ein Schaukelstuhl. Der Schreibtisch befand sich direkt vor dem Fenster. Auf ihm thronte eine nagelneue Computeranlage mit Drucker. Ich war beeindruckt. Zeno schnaubte verächtlich.
»Was ist?«
»Vollkommen veraltetes Gerät.«
»Kannst du damit umgehen?«
»Umgehen?« Sie zog eine Grimasse. »Ja, Jake, ich kann damit umgehen. Es ist ein IBM kompatibles Gerät. Kein Problem.« Sie öffnete die Klappen der Diskettenschubfächer, um mir zu zeigen, daß sie leer waren. »Aber zuerst brauchen wir was, das wir hier reinschieben können.«
Wir durchsuchten das Zimmer.
Zwischen Schreibtisch und Tisch stand ein Bücherregal. Es enthielt ein halbes Dutzend Bücher über die Börse, etliche Computerbücher und einige zwei Wochen alte Ausgaben des »Wall Street Journals«. Ich wußte, daß Bellano mit Aktien spekuliert hatte. Disketten waren nirgends zu entdecken. Ich blätterte die Bücher nach Geheimfächern durch und Zeno durchsuchte den Schreibtisch. Ich nahm die Polster von der Couch und klappte sie zum Bett aus. Nichts.
Zeno setzte sich an den Computer, öffnete ihre Tasche und nahm ein paar Disketten heraus. Eine Diskette schob sie in das linke Fach und schaltete das Gerät ein.
»Sehen wir mal nach, was er so hat«, erklärte sie.
Die Maschine begann zu summen. Ein Piepton sagte uns, daß sie bereit war. Zeno tippte einige Kommandos ein. Auf dem Monitor erschienen folgende Zeilen:

S SYSTEM BORARD
S 640 KB MEMORY
S KEYBOARD
S MONOCHROME ADAPTER

S 2 DISKETTE DRIVE (S) AND ADAPTER
S 1 HARD DISK AND ADAPTER
S PRINTER ADAPTER

»Das könnte es sein«, sagte Zeno.
»Was?«
»Die Festplatte.«
»Wie bitte?«
»Schau, genau hier.«
»Sehe ich. Was zum Teufel bedeutet das?«
»Mann, Jake! Also, die meisten neueren Geräte haben eine Festplatte und ein Diskettenlaufwerk. Das hier ist ein älteres System ... zwei Diskettenlaufwerke und keine Festplatte. Aber die Statusanzeige weist eine Festplatte auf. Also muß Mr. Bellano oder ein anderer diese nachträglich installiert haben. Aber ich sehe keine Festplatte. Du vielleicht?«
»Was spielen wir? Ich sehe was, was du nicht siehst?«
»Ist ja gut. Es gibt keine externe Festplattenstation. Daher muß es eine Hard-Card-Festplatte sein, die intern installiert wurde. Sehen wir nach.«
Sie gab neue Kommandos ein.
»Da haben wir's. Es sind die Laufwerke A, B und C da. A und B sind die beiden Diskettenlaufwerke. C ist die Festplatte. Schauen wir mal nach, was er da drauf hat.«
Zeno tippte eine ganze Zeit und stellte fest, daß er alle Informationen in drei Unterverzeichnissen aufgeteilt hatte.
Nachdem Zeno unentwegt und konzentriert eine ganze Zeit gearbeitet hatte, sagte sie:
»Personennamen mit Zusatz. BAS könnte BASIC bedeuten.«
»Ich würde sagen Baseball. BSK ist Basketball. FBL ist Football. Könnten wir in die Dateien reinschauen?«
»Jetzt?«
»Wo liegt das Problem?«
»Wieviel Zeit haben wir?«
»Ich will dein Entgegenkommen nicht strapazieren.«
»Dann kopiere ich das Unterverzeichnis und arbeite zu Hause daran weiter.«
»Nur zu.«
Zeno begann die Dateien auf eine leere Diskette zu übertragen.
»Fertig«, sagte sie schließlich und nahm die Diskette heraus.

»Kannst du das Unterverzeichnis GAMES jetzt auf der Festplatte löschen?« fragte ich.
»Löschen? Du meinst, ich soll die Datei zerstören?«
»Genau das meine ich.«
»Sicher kann ich das. Aber willst du das wirklich?«
»Ja.« Bellano war tot. Seine Sünden waren mit ihm begraben worden. Seine Witwe hatte genug Kummer.
»Ich kann die Dateien zwar löschen, Jake, aber mit etwas Geduld und Fachkenntnis kann ein Computerfachmann sie vermutlich wieder herstellen. Es sei denn ich formatiere die Festplatte neu. Aber damit wären sämtliche Unterverzeichnisse gelöscht.«
»Dann tu's.«
Die Prozedur dauerte ungefähr zehn Minuten. Als Zeno fertig war, tippte sie etwas ein, das auf dem Bildschirm wie folgt erschien:

```
C>dir
    Volume in drive C has no label.
    Directory of C:
    File not found
C>
```

Sie sah zu mir auf. »Alles futsch.«
»Gut. Gehen wir.«
Angela Bellano erwartete uns im Wohnzimmer.
»Haben Sie etwas gefunden?«
»Möglich. Zeno wird daran arbeiten.«
Angela holte unsere Mäntel. Ich versprach ihr, mich zu melden.

11

Draußen schneite es noch immer. Zeno half mir, den Olds vom Schnee zu befreien. Anschließend fuhr ich sie zur MicroComp zurück. Zeno erklärte mir, daß es eine Weile dauern dürfte, sämtliche Dateien Bellanos auszudrucken, da ihr privater Drucker ziemlich langsam arbeitete.
»Wir haben einen schnellen Drucker im Geschäft«, schloß sie.
»Ich finde, du solltest es zu Hause machen. Es ist besser, die Sache bleibt unter uns.«

»In Ordnung.«
»Wie lange brauchst du?« wollte ich wissen.
»Kann ich nicht genau sagen. Vielleicht bis morgen abend.«
»Prima«, erwiderte ich. »Wie wär's mit einem Abendessen? Ich bin ziemlich hungrig.«
»Milton hat mich schon eingeladen.«
»Aha.«
»Du kannst gern mitkommen.«
»Danke, lieber nicht.«
Ich kam im Dunkeln nach Hause. Es schneite unaufhörlich, und ich hatte noch immer Hunger. Da ich keine Lust hatte, allein zu essen, rief ich Rachel Wynn an. Schließlich hatte ich ihr versprochen, mich zu melden, sobald ich aus San Diego zurück war. Niemand hob ab. Vielleicht hatte Milton auch Rachel eingeladen.
Ich machte eine Dose Bier auf und kippte den Inhalt einer Büchse Chilli in einen Topf. Dann knipste ich den Fernseher an, um das Resultat des Bronco-Spiels zu erfahren. Ich war während der Woche so beschäftigt gewesen, daß ich völlig vergessen hatte, eine Wette abzuschließen.
Ich hatte Glück gehabt. »Bears 42, Broncos 17«, verkündete der Nachrichtensprecher. Ich hätte auf die Broncos gesetzt.
Ich ging in die Küche zurück, rührte mein Chilli um und öffnete eine zweite Dose Bier. Im Nebenzimmer dröhnte der Fernseher. Nach den Sportnachrichten hörte ich mit halbem Ohr auf die Wettervorhersage. Schwere Schneefälle in der Stadt und Schlimmeres in den Bergen, wurden vorausgesagt. Warnung vor Ausflügen. Kettenzwang. Einige Pässe waren geschlossen. Nach dem Wetter kam eine Sondermeldung. Ich hörte ein Wort, das meine Aufmerksamkeit erregte.
Bellano!
Ich ging zur Tür und sah auf die Mattscheibe.
Dort erschien Bellanos zerstörte Garage. Neue Entwicklungen gäbe es nicht, lautete der Kommentar. Es handle sich um eine Sondersendung, die in sieben Teilen ausgestrahlt werde.
Das Gesicht des Kommentators erschien auf dem Bildschirm. Gary Rivers, Sonderberichterstatter, lautete der Untertitel.
Ich kannte zwar seine Stimme aus dem Radio, hatte ihn jedoch noch nie in Lebensgröße gesehen. Seine Talk-Show war offenbar ein Renner. Ich kann das nicht beurteilen. Für Sendungen dieser Art habe ich nichts übrig. Rivers griff alle möglichen Themen auf und

galt als sorgfältiger Rechercheur. Jetzt schien er sich das lukrativere Medium Fernsehen erschlossen zu haben.
»Glücksspiele sind kein harmloser Zeitvertreib«, erklärte er gerade mit einer demonstrativen Kunstpause. »Sie haben schon so manchem das Leben gekostet.«
Rivers fuhr damit fort, zu beschreiben, wie das Glücksspiel Menschen und Familien zerstören konnte.
Rivers hatte eine angenehme Stimme und war eine attraktive Erscheinung, wenn seine Züge auch reichlich hölzern wirkten.
»Morgen abend«, fuhr Rivers fort, »sehen Sie Teil zwei meiner Serie ›Glücksspiel in Colorado ... Sport? Oder Sucht?‹ Ich gebe zurück zu Bob.«
Ich kehrte zu meinem Chilli zurück.
War es Rivers gewesen, der Stephanie Angst eingejagt hatte? Was hatte ein Prominenter wie Rivers überhaupt in einem kleinen biederen Friseurladen in North Denver verloren? Hatte er für seine Sendung über Glücksspiele recherchiert? Ich nahm mir vor, ihn persönlich danach zu fragen.
Lange konnte ich ein Gespräch mit den vier Kunden aus Joes Friseurladen sowieso nicht mehr aufschieben.
Es durfte kaum schwierig werden, an Rivers, Stan Fowler oder Johnny Toes Burke heranzukommen. Das einzig unbeschriebene Blatt war Mitch Overholser.
Ich machte eine neue Dose Bier auf und griff zum Telefonbuch. Ich kannte drei Buchmacher in der Stadt. Eddy Natiele war mein Favorit. Ich rief seine Privatnummer an. Es war ja Sonntag.
Was Buchmacher montags taten, wußte ich nicht. Vielleicht schippten sie Schnee vor ihren Garagen. Dienstags jedenfalls trieben sie das Geld von den Verlierern ein. Mittwochs zahlten sie die Gewinner aus. Donnerstag bis Samstag nahmen sie Wetten an. Sonntags verbrachten sie zu Hause bei ihren Familien.
Ich entschuldigte mich bei Natiele für die Störung.
»Macht nichts. Was gibt's?«
»Kennen Sie einen Spieler namens Mitch Overholser?«
»Sozusagen. Warum?«
»Können Sie mir etwas über ihn erzählen?«
»Ich habe mehrere Wetten von ihm angenommen. Aber er will gewöhnlich ein höheres Risiko eingehen, als ich zu bieten bereit bin. Dazu müßte ich einen zweiten Buchmacher einschalten. Und dazu habe ich keine Lust. In letzter Zeit will kaum noch jemand Wetten

von ihm annehmen. Seine Zahlungsmoral ist verdammt schlecht geworden.«
»Das kann gefährlich werden«, bemerkte ich.
»Nicht so, wie Sie denken, Jake. Keiner von uns soliden Buchmachern setzt Schlägertrupps ein.«
»Fat Paulie DaNucci ausgenommen.«
»Gut, da muß ich Ihnen recht geben. Aber Fat Paulie arbeitet in der Grauzone. Natürlich kenne ich ein oder zwei Buchmacher, die ihre überfälligen Wechsel zu zehn Cents pro Dollar an Kerle wie DaNucci verkaufen ... an Kerle, denen es Spaß macht, einem armen Schlucker die Daumenschrauben anzusetzen. Aber mit solchen Leuten habe ich nichts zu tun. Von Spielern, die nicht zahlen, nehmen wir einfach keine Wetten mehr an. Wir stecken den Verlust einfach weg.«
»Overholser ...« erinnerte ich ihn.
»Richtig. Entschuldigung. Er ist ein Spieler ... und kein besonders guter. Soviel ich gehört habe, hat er mittlerweile seinen Job, sein Haus und seine Familie seiner Spielsucht geopfert.«
»Was macht er, wenn er nicht spielt?«
»Zuletzt hat er im Gebrauchtwagenhandel seines Schwagers in West Colfax gearbeitet, falls man das Arbeiten nennen kann.«
»Wie heißt der Laden? Wissen Sie das?«
»Irgendwas mit ›Dein Ehrlicher Gebrauchtwagenpartner‹ oder so ähnlich.«
»Das paßt ja vorzüglich.«
»›Harry's – Dein Ehrlicher Gebrauchtwagenpartner‹ so heißt es«, erinnerte sich Natiele.

Montagmorgen schneite es noch immer.
Nach Big Pine Lake war kein Durchkommen. In der Stadt war der Verkehr teilweise zusammengebrochen.
Im Radio wurden die Namen der Schulen durchgegeben, die geschlossen blieben. Lorettos Heights war nicht dabei. Trotzdem wählte ich zuerst Rachel Wynns Privatnummer. Beim zweiten Rufzeichen hob sie ab.
»Schwänzen Sie heute?« fragte ich.
»Nein. Ich wollte gerade los. Haben Sie Stephanie gefunden?« Ihre Stimme klang hoffnungsvoll.
»Nein.«
»Oh! Ich dachte schon, Sie riefen deshalb an.«

»Wollte Sie nur auf dem laufenden halten«, sagte ich und erzählte ihr von meinem Besuch bei Stephanies Schwester und von Big Pine Lake. »Vielleicht finde ich das Mädchen Chrissie dort.«
»Sie wollen doch wohl heute nicht in die Berge fahren?«
»Nicht unbedingt.«
»Die Straßen sind eine Katastrophe. Gestern haben wir von Vail bis nach Hause zwei Stunden gebraucht. Heute sieht es noch schlimmer aus.«
»Skifahren?«
»Wie bitte? Richtig, wir waren Skifahren. Pat und ich haben das Wochenende dort verbracht.«
»Wie nett.«
Sie schwieg einen Moment. »War das sarkastisch gemeint?«
»Glaube ich nicht. Nur . . .«
»Was?«
»Ist Pat eine Patricia oder ein Patrick?«
»Wiedersehen, Mr. Lomax!« Sie legte auf, bevor ich ihr sagen konnte, daß Skifahren den Knien schadet.
Den ganzen Tag zu Hause herumzusitzen, schadet nicht nur den Knochen, sondern auch dem Gemüt. Ich mußte was unternehmen. Big Pine Lake mußte ich zumindest heute vom Programm streichen. Ich nahm das Telefonbuch zur Hand und rief bei »Harry – Deinem Ehrlichen Gebrauchtwagenpartner« an. Niemand meldete sich. Wie soll man Autos verkaufen, die im Schnee versinken? Ich wählte die Nummer des Radiosenders an und fragte nach Gary Rivers. Er war noch nicht im Funkhaus. Seine Sendung lief erst von zwölf Uhr mittags bis drei Uhr. Ich rief Stan Fowlers Media-Markt an. Er hatte geöffnet.
Fowlers Laden lag kurz hinter der Byrant Street im Norden der Sixth Avenue, in einem Geschäfts- und Industrieviertel.
Ich stellte den Olds auf dem fast leeren Parkplatz ab.
Der riesige Einkaufsmarkt erstreckte sich hinter einer gläsernen Flügeltür über zwei Blocks. Ich trat ein. Ein Verkäufer steuerte sofort auf mich zu.
»Was kann ich für Sie tun. Suchen Sie vielleicht einen neuen Fernseher?«
»Nein, aber Stan Fowler.«
Das Lächeln des Verkäufers verschwand.
»Der ist im Augenblick beschäftigt«, antwortete er. »Kann ich Ihnen helfen?«

»Leider nein.«
Der Mann ließ die Schultern hängen. »Kommen Sie mit«, murmelte er.
Ich folgte ihm zwischen Spülmaschinen hindurch zu einer Tür mit der Aufschrift »Nur für Personal«. Er hielt sie auf. Wir betraten einen Lagerraum, wichen einem Gabelstapler aus und näherten uns einem abgetrennten Büroverschlag. Der Verkäufer klopfte und ging hinein. Ich hörte Gemurmel und ein ärgerliches »Schon gut, Roberson. Schicken sie den Idioten rein!«
Mit dem »Idioten« war schätzungsweise ich gemeint.
Roberson kam wieder heraus. Er wirkte verschüchtert.
»Mr. Fowler läßt bitten«, erklärte er und verschwand.
Ich ging hinein und schloß die Tür. Das Büro hatte einen dicken Teppichboden und teure, geschmacklose Ledersessel. Der Schreibtisch war überdimensional, in jeder Beziehung.
»Gott zum Gruß«, sagte Fowler und stand lächelnd auf. »Stan Fowler.«
Er streckte mir die Hand entgegen. Ich schüttelte sie.
Fowler war ein großer schwerer Mann. Sein Gewicht führte ich auf eine Vorliebe für Gin und Roastbeef zurück. Sein Gesicht war gerötet, die Wangen von geplatzten Äderchen überzogen. Er hatte eine Knollennase, stechende blaue Augen und pomadiertes dunkelblondes Haar. Anzug und Weste waren braun. Er trug einen Goldring und eine fette Rolex am Handgelenk. Ich vermutete, daß die Uhr ein Duplikat war. Wie alles an dem Mann falsch und aufgesetzt wirkte.
»Jacob Lomax«, stellte ich mich vor. »Hoffentlich störe ich nicht.«
»Kommt darauf an, Jake, mein Freund.« Er lehnte sich auf seinem Lederthron zurück, dessen Polster unter seinem Gewicht ächzten. »Kaufen Sie, oder verkaufen Sie?«
»Ich bin Privatdetektiv«, klärte ich ihn auf. »Ich arbeite für Bellanos Witwe. Ihre Tochter Stephanie ist seit einer Woche verschwunden. Ich dachte, Sie könnten mir helfen, sie zu finden. Sie waren einer der letzten, der sie gesehen hat.«
»Wie sollte ich, mein Freund. Ich kenne diese Stephanie nicht mal.«
»Stephanie Bellano. Sie . . .«
»Bellano. Da klingelt was.« Er lächelte über seinen dämlichen Witz.
»Sie kannten ihren Vater Joseph.«
»Quatsch, mein Freund. Nie von ihm gehört.«
»Sie saßen vor einer Woche in seinem Friseurladen. Freitag vor

einer Woche, als Stephanie reinkam, eine Riesenszene machte und weglief. Sie hat es mit der Angst zu tun bekommen. Irgend jemand im Laden muß ihr einen Schreck eingejagt haben.«
Stan musterte mich aus zusammengekniffenen Augen.
»Da waren Sie«, fuhr ich fort. »Gary Rivers, Mitch Overholser und Johnny Toes Burke. Plus Joseph und Sal.«
»Ich weiß nicht, wovon Sie reden, Freundchen.«
»Sie sind dort gewesen, Stan.«
»Ich habe nicht die geringste Ahnung, wovon Sie reden, mein Freund.«
»Ich bin nicht Ihr Freund, Stan. Meine Freunde sind keine Lügner.«
Seine Miene verdüsterte sich.
Er wuchtete sich aus dem Sessel. Langsam und drohend beugte er sich über den Schreibtisch. Ich stand auf. Fowler stolzierte an mir vorbei zur Tür.
»Frank! Wayne! Kommt her.«
Frank und Wayne waren zwei Verkäufer mit der Figur von Preisboxern. Die Ärmel hatten sie über ihren muskulösen Armen aufgerollt. Ich sah mich im Büro nach einer Waffe um.
»Jake hat sich verlaufen«, verkündete Fowler. »Zeigt ihm, wo der Zimmermann das Loch gelassen hat. Adieu, Jake!«
Ich versuchte mir meine Erleichterung nicht anmerken zu lassen.
»Wir sehen uns bald wieder, Stan. Schneller, als Ihnen lieb ist.«
Frank und Wayne führten mich in den Verkaufsraum. Ich entdeckte Roberson in einer hinteren Ecke, umgeben von Fernsehgeräten. Offenbar wartete er dort auf bessere Zeiten. Er straffte die Schultern, als er mich kommen sah.
»Ich wollte mich bei Ihnen entschuldigen«, begann ich.
»Wie bitte? Wofür?«
»Weil Ihr Chef Sie meinetwegen angeschrien hat.«
»Vergessen Sie's!« Er sah an mir vorbei zur Tür zum Lagerraum.
»War meine Schuld. Ich kenne Typen wie Fowler. Ist doch immer das gleiche.«
»Wem sagen Sie das.« Roberson seufzte. »Und Stan Fowler kennt alle Tricks der Welt.«
»Dann muß der Laden ja laufen wie geschmiert. Vermutlich schwimmt Fowler im Geld.«
»Das sieht nur so aus. Die Geschäfte gehen schlecht. Egal, was die Regierung sagt, bei uns herrscht Flaute. Außerdem hat Fowler persönliche Probleme.«

»Wirklich?« fragte ich interessiert.
Roberson nickte. »Seine Frau ist Alkoholikerin. Praktisch ein Fall für die Psychiatrie. Schätze, er hat sie auf dem Gewissen. Jeder weiß, daß er eine fatale Neigung zu Minderjährigen hat. Und bei seiner Frau schützt er Pokerrunden mit Freunden vor.«
Als ich schließlich wieder ins Freie trat, lag ein Zentimeter Neuschnee auf meinem Olds. Während ich die Scheiben säuberte, beschäftigte mich die Frage, ob Stan Fowler auf der Suche nach jungen Mädchen je im *Lion's Lair* gewesen war. Auf der Suche nach Mädchen wie Stephanie Bellano.

12

Um Viertel vor drei saß ich im Empfangszimmer des Senders, wo ich Gary Rivers anzutreffen hoffte.
Die Atmosphäre war angenehm, der Raum war angenehm, und die Empfangsdame war das angenehmste von allem. Sie hatte Gary Rivers meine Nachricht überbracht und mir Kaffee mit Zukker ohne Sahne serviert. Während ich genüßlich daran nippte, betrachtete ich ihre Beine. Angenehm. Ich horchte auf gedämpfte Stimmen. Ich erkannte die Stimme von Rivers und einem Besucher namens Al. Sie diskutierten über den Sender. Es ging um Glücksspiele.
Die Sendung endete um drei Uhr.
Wenige Minuten später kam Rivers in den Empfangsraum.
»Mr. Lomax?« wandte er sich an mich.
Ich stand auf und schüttelte ihm die Hand. Er war knapp einen Meter achtzig groß, kleiner und hagerer als er im Fernsehen wirkte. Er trug einen Pullover, verwaschene Blue jeans und Joggingschuhe.
»Carol sagte, Sie hätten Informationen über Joseph Bellano.«
»Nicht direkt. Ich wollte mit Ihnen über seine Tochter Stephanie sprechen.«
»Aha. In Ordnung. Aber . . .« Er warf einen Blick auf die Uhr. »Ich hab's eilig. Und der Verkehr bei diesem Wetter . . .«
Ich wartete, aber dann sagte er: »Gehen wir in mein Büro.«
Er ging voraus. Rivers' Büro war klein und unpersönlich. Vom Fenster im zweiten Stock aus hatte man an klaren Tagen vermutlich einen Blick über die ganze Stadt bis hin zum kleinen spitzen Turm

von Loretto Heights. Heute sah man dort nur auf einen Vorhang aus dichtem Schneegestöber.
Wir setzten uns auf zwei Stühle ohne Lehne neben Rivers' Schreibtisch.
Das Mobiliar war unbequem und geschmacklos. Bei der hohen Verschleißrate bei Radio- und Fernsehmoderatoren wagte es offenbar niemand, unnötig Geld für schicke Einrichtungen zu verschwenden. Außerdem waren die meisten froh, überhaupt arbeiten zu können. Einige, Rivers eingeschlossen, waren sogar ausgesprochene Glückspilze. Sie verdienten sechsstellige Summen.
»Mrs. Bellano hat mich beauftragt, Stephanie zu finden.«
»Stephanie ist noch immer nicht zu Hause?« Er wirkte überrascht und besorgt.
»Nein.«
»Mein Gott! Arme Angela!«
»Sie kennen Stephanies Mutter?«
»Nein. Übrigens auch Stephanie nicht. Aber Joseph hat viel von den beiden gesprochen.«
»Ich wußte gar nicht, daß Sie und Joseph befreundet waren.«
Er nickte. »In den vergangenen Monaten habe ich für eine Sendereihe über Glücksspiele in Colorado recherchiert. Sie läuft gerade auf Channel 5. Seit einem Jahr habe ich mich mit dem Gedanken einer Sondersendung beschäftigt und deshalb mit Buchmachern und Spielern geredet und so weiter. Dabei habe ich Joseph kennengelernt. Mit ihm ließ es sich leichter reden als mit den meisten anderen. Außerdem war er lange im Geschäft. Also hab ich mich an ihn gehalten. Insofern waren wir Freunde.«
Rivers hatte eine eigenartige Vorstellung von Freundschaft. Er hatte den Nachrichtenfilm über Bellanos Tod zu Reklamezwecken für sich selbst ausgeschlachtet.
»Sie waren in Bellanos Friseurladen«, begann ich erneut. »Und zwar an dem Tag, an dem Stephanie verschwunden ist.«
»Ja, zu dem Zeitpunkt habe ich sie zum ersten Mal gesehen.«
»Laut Sal war sie zu Tode erschrocken.«
»Kann man wohl sagen«, bestätigte Rivers. »Sie hat ihrem Vater einige Sachen an den Kopf geworfen, die ihr dann sicher leid getan haben.«
»Sal glaubt, daß sie vor einem der Kunden Angst hatte.«
»Vor einem der Kunden?«
»Ja.«

»Also, das kann ich nicht beurteilen«, entgegnete Rivers. »Ich erinnere mich nur, daß sie außer sich war, als sie in den Laden kam. Sie schrie, weinte, nannte Joseph einen Lügner und einen Verbrecher. Sie sagte, sie hoffe, daß Gangster wie wir im Gefängnis landen würden. Da gehörten wir nämlich hin.«
»Wir?«
»Sie deutete auf jeden einzelnen von uns mit dem Finger. Joseph war genauso überrascht wie wir anderen. Zuerst hielt er es für einen Witz. Dann wurde er wütend. Er hat ihr gesagt, sie solle den Mund halten, er wolle nach Geschäftsschluß mit ihr reden. Es klang, als meinte er mehr als nur reden. Da ist sie rausgerannt. Joseph hat mit allen im Laden Witze darüber gerissen. Er war überzeugt, Stephanie würde sich noch vor dem Abendessen zu Hause bei ihm entschuldigen.«
»Aber sie ist nicht nach Hause gekommen.«
»Nein.«
»Nicht mal nach dem Tod des Vaters.«
Eine gerunzelte Stirn trübte Rivers' medienwirksames Gesicht. Er dachte nach.
»Verstehe, was Sie meinen«, sagte er. »Wenn sie aus Angst vor dem Vater weggelaufen wäre, wäre sie inzwischen nach Hause gekommen.« Die Falten auf seiner Stirn vertieften sich. »Wenn ich mich nur erinnern könnte . . .«
»Woran?«
»An die anderen Männer im Friseurladen.«
»Stan Fowler, Mitch Overholser und Johnny Toes Burke.«
»Johnny . . . richtig. Jetzt erinnere ich mich.« Er starrte angestrengt auf die Wand hinter meinem Rücken. Jetzt dachte er wirklich nach. »Das ist ein merkwürdiger Zufall«, bemerkte er und sah mich an. »Johnny Toes Burke arbeitet für Fat Paulie DaNucci.«
»Das sagt man, ja.«
»Mein Gott, glauben Sie, die Mafia ist für Stephanies Verschwinden verantwortlich.«
»Möglich. Und es ist möglich, daß sie Bellano umgebracht haben.«
»Wir müssen sie finden«, erklärte Rivers.
»Wir?«
»Ja. Falls sich Stephanie vor Burke und DaNucci versteckt hält, muß sie wichtige Informationen haben.«
Ich sah das Leuchten in seinen Augen. Eine neue Sondersendung war im Entstehen.

»Wenn die Stephanie vor uns finden, ist ihr Leben keinen Cent mehr wert!« behauptete er.
»Wir?«
»Ja, wir. Ich fühle mich persönlich angesprochen. Joseph Bellano war mein Freund.«
Rivers sah mich prüfend an.
»Ich weiß, was Sie denken ... daß ich nur am Nachrichtenwert interessiert bin. Gut, gebe ich zu. Das ist Teil der Sache. Stephanie weiß vielleicht Dinge, die uns alle überraschen könnten.«
»Überraschen? Meinen Sie nicht vielleicht ›unterhalten‹?«
Er wurde ärgerlich. Dann lächelte er. »Vielleicht, ja. Trotzdem möchte ich helfen und ich kann helfen.«
»Wie?«
»Hängt von Ihnen ab«, erwiderte er. »Ich habe in dieser Stadt eine Menge Beziehungen und Zugang zu Informationen, wie kaum ein anderer. Außerdem habe ich einiges recherchiert.« Er lächelte stolz. Dann warf er einen Blick auf die Uhr. »Himmel, ich komme zu spät!« Er zückte eine Visitenkarte. Es stand lediglich sein Name darauf. Wozu Erfolg doch gut war! Rivers schrieb drei Telefonnummern auf die Karte.
»Die erste ist mein Büro, die zweite die Privatnummer.«
»Und die dritte?«
»Ach so, ja. Das Autotelefon.«
»Natürlich. Dumme Frage.«
»Bitte rufen Sie mich an, wenn Sie meine Hilfe wollen.«
Damit schob er mich aus seinem Büro in den Empfangsraum. Dort öffnete er einen Schrank und zog sein Jackett an. Es war schwarz und modisch salopp. Die Uniform der Erfolgreichen. Er verabschiedete sich von Carol und hielt mir die Tür auf. Ich zögerte.
»Ich muß telefonieren. Was dagegen, wenn ich das Telefon hier benutze?«
»Bedienen Sie sich«, sagte Rivers. »Muß mich beeilen.«
»Okay. Ich melde mich.«
Rivers eilte hinaus. Carol, die Sekretärin, schob ihren Apparat bereitwillig über den Schreibtisch. Ich lächelte dankbar und wählte die Nummer meines Anrufbeantworters.
»Ich habe das Gespräch nicht ganz beendet«, sagte ich zu meiner Stimme auf dem Band. »Er mußte gehen. Nein, ich glaube nicht, daß er vor morgen wieder Zeit hat. Verdammt, ich ... Ups!« Ich schenkte Carol ein schüchternes Lächeln. »Entschuldigung!« flü-

sterte ich ihr zu. »Hören Sie«, sagte ich zu dem Piepton, der den Anrufer aufforderte zu sprechen. »Ich stehe hier neben seiner Sekretärin. Vielleicht kann sie uns sagen, was wir brauchen. Ja, ich weiß, daß gleich Redaktionsschluß ist!« Damit hängte ich ein.
Carol sah mich erwartungsvoll an.
»Ich belästige Sie nur ungern damit«, begann ich.
»Interviewen Sie Mr. Rivers?«
»Für die ›News‹«, antwortete ich und zückte meinen Notizblock. »Fernsehnachrichten. Da sind nur ein paar Routinefragen, die ich vergessen habe. Und mein Redakteur ist wütend, weil bald Redaktionsschluß ist. Macht es Ihnen was aus einzuspringen?«
»Überhaupt nicht.«
Ich blätterte meinen Block durch, als suchte ich nach einem leeren Blatt. Alle Blätter waren leer.
»Wie lange kennen Sie Gary?«
»Ich war schon da, als er anfing. Fast zwei Jahre.«
»Tatsächlich. Dann kennen Sie ihn besser als die meisten.«
»Vermutlich«, erwiderte sie nicht ohne Stolz.
»Ist er ein schwieriger Chef?«
»Finde ich nicht.«
»Finden Sie nicht? Soll das heißen, daß andere durchaus Probleme mit ihm haben?«
»Nicht jeder hat Verständnis für einen Mann wie Mr. Rivers«, klärte sie mich auf. »Er ist extrem talentiert und engagiert. Ein Perfektionist. Wenn etwas nicht hundertprozentig stimmt, dann läßt er das die Leute ziemlich deutlich spüren.«
»Er wird wütend?«
Sie nickte. »Manchmal sogar sehr wütend. Aber vielleicht sollten Sie das lieber nicht schreiben.«
»Warum nicht? Jeder wird gelegentlich mal wütend.«
»Ja. Aber Mr. Rivers . . .«
»Was meinen Sie? Wäre es ihm nicht recht, wenn wir das schreiben? Oder meinen Sie, er wird wütender als andere?«
Sie holte Luft. »Beides«, sagte sie hastig. »Aber in den letzten Monaten ist er viel ruhiger geworden . . . Seit der . . . na, Sie wissen schon. Seit der Tragödie.«
»Welche Tragödie?«
»Hat er Ihnen das nicht gesagt? Nein, vermutlich nicht. Es ist noch immer zu schmerzlich. Er und seine Frau hatten einen Todesfall in der Familie.«

»Tut mir leid, das zu hören.«
»Es war schrecklich. Besonders unter den Umständen.«
Ich setzte mich auf die Schreibtischkante. »Wie darf ich das verstehen?«
»Also«, begann sie in vertraulichem Ton. »Mr. Rivers stand unter starkem Streß. Seine Einschaltquoten waren okay, aber die Einschaltzahlen des Senders insgesamt waren drastisch zurückgegangen. Jeder stand unter Druck. Und Mr. Rivers hat angefangen, Specials fürs Fernsehen zu produzieren. Aber das wissen Sie natürlich.«
»Selbstverständlich.«
»Jedenfalls hat der Druck Wirkung gezeigt. Er und der Direktor hatten eine massive Auseinandersetzung. Der Direktor zwang Mr. Rivers, Urlaub zu nehmen. Da ist Mr. Rivers in die Luft gegangen. Aber er hatte keine andere Wahl. Und während der Ferien ist die Tragödie passiert. Seine Frau war so verzweifelt, daß Mr. Rivers sie nach Colorado Springs zu ihren Eltern bringen mußte. Soviel ich weiß, ist sie da noch immer. Mr. Rivers hat's irgendwie geschafft, weiterzumachen. Er ist wirklich ungewöhnlich.«
»Der Streit zwischen Rivers und dem Direktor. Wann war das?«
»Vor ungefähr vier oder fünf Monaten.«
»Und worum ging es?«
»Keine Ahnung.«

Später am Abend kam der Anruf von Zeno. Sie hatte die Ausdrucke fertig.
Ich fuhr nach Aurora. Es hatte fast zu schneien aufgehört, und die Straßen waren geräumt und gestreut. Ich bog von der East Iliff Avenue zu Zenos Appartmentblock ein. Milton betätigte den Türöffner. Er ließ mich herein und versuchte, sich den Anschein von Aggressivität zu geben. Die dicken Brillengläser und die vorstehenden Zähne allerdings waren keine große Hilfe.
»Zeno ist in der Küche«, sagte er.
Ich machte einen Schritt vorwärts. Er legte die Hand auf meinen Arm, zog sie jedoch hastig zurück.
»Ja?«
»Zeno, ehm ...«
»Was gibt's, Milton?«
»Zeno ist meine Freundin.«
»Ja und?«

»Also ich ... ich wollte nur, daß Sie das wissen.«
»Aha. Verstehe.«
»Damit Sie's wissen.«
»Natürlich, Milton. Zeno und ich sind nur Freunde. Wie Familie. Sie sind der einzige Mann für sie. Das hat sie mir gesagt.«
»Hat sie das?«
»Großes Pfadfinder-Ehrenwort.«
»Oh!« Er wurde rot. Mußte Liebe schön sein!
»Es dauert nur 'ne Minute.«
»Klar«, murmelte er.
Zeno buk Kekse. Ich war überrascht. Ihre Hände waren teigverklebt.
»Hallo, Jake. Da sind die Sachen.«
Am Ende der Küchentheke lag ein Paket bedrucktes Computerpapier mit grünem Rand. Ich blätterte den Stapel durch. Er war über fünfzig Seiten dick. Jedes Blatt war dicht mit Zahlenkolonnen und Namen bedruckt.
»Möchtest du die Disketten auch?« fragt sie.
Ich deutete auf den Stapel. »Ist das alles?«
»Ja.«
»Dann zerstöre die Disketten.«
»Du meinst, ich soll die Daten löschen?«
»Nenn' es wie du willst. Aber tu's!«
»Bist du sicher?«
»Absolut. Heute abend noch, ja?«
»Klar doch, Jake.«
»Prima. Also, was bin ich dir schuldig?«
»Nichts«, antwortete sie und lächelte schlau.
»Blödsinn. Wer arbeitet, kriegt auch Geld.«
»Sagen wir, ich hab' dir einen Gefallen getan.«
»Ein Gefallen. Gut. Dann bin ich dir wieder einen schuldig. Aber einen großen, klar?«
»Klar, Jake.«
Zu Hause füllte ich ein Whiskyglas mit Eis und Jack Black. Ich begann, den Computerauszug zu lesen. Die Daten waren sehr ausführlich. Ausführlicher, als bei Buchmachern sonst üblich. Vielleicht war es das neue Spielzeug gewesen, das Bellano verleitet hatte.
Er hatte seine Unterlagen nach den Namen der Wettkunden und nach Spielen geordnet.

Die Spiele waren nach der jeweiligen Sportart und der Woche untergliedert, in der sie stattfanden. Die Rubik »Wetten« verzeichnete den Namen des Wettkunden, den Namen des Teams, das Spielergebnis, die Wahl des Wettkunden und den eingesetzten Betrag. Die letzte Spalte listete Überschüsse oder Verluste auf, abhängig davon, ob Bellano kassieren durfte oder zahlen mußte. Am unteren Rand der Seite war die Gesamtsumme aufgeführt. Bellano hatte immer Gewinn gemacht. Buchmacher konnten offenbar nicht verlieren. Die niedrigste wöchentliche Gewinnsumme belief sich auf vierhundert Dollar. Im Durchschnitt lag sein Profit bei viertausend Dollar. In der für Bellano erfolgreichsten Woche während der Super Bowl standen 29000 Dollar zu Buch. Ich schätzte, daß Bellano knapp eine Viertelmillion in diesem Jahr verdient hatte. Vorausgesetzt, seine Wettkunden hatten immer pünktlich bezahlt.
Ich wandte mich den Seiten zu, auf denen Bellano die Namen seiner Wettkunden, ihre Einsätze und Gewinne oder Verluste verzeichnet hatte.
Einige dieser Personen hatten eine Seite für sich allein. Einige füllten sogar mehrere Seiten. Die meisten setzten pro Woche ein- bis zweihundert Dollar. Dann gab es riskante Spieler mit hohen Einsätzen, von denen etliche Bellano noch größere Summen schuldeten.
Der riskanteste Spieler war Stan Fowler, der Besitzer des Media-Marktes. Er hatte in den vergangenen zwei Jahren wöchentlich drei- bis viertausend Dollar bei Bellano gesetzt. Den Aufzeichnungen zufolge stand Fowler beim toten Joseph Bellano noch mit achtundneunzigtausend Dollar in der Kreide. Das war keine Bagatelle. War es genug, um dafür zu töten?
Auch Gary Rivers' Name fand sich in den Unterlagen. In den vergangenen zehn Monaten war es ihm gelungen, ein paar tausend Dollar zu gewinnen. Bei seinem Tod hatte Bellano Rivers noch achthundert Dollar geschuldet. Ich fragte mich, ob Rivers nur gewettet hatte, um Material für seine Serie zu sammeln. Oder war er ein Spieler? Würde es seiner Karriere schaden, wenn das Publikum das herausfand?
Dann entdeckte ich den Namen Mitch Overholser. Er war nach Fowler der größte Verlierer unter Bellanos Kunden. Sein Schuldenkonto belief sich auf sechsundvierzigtausend. Das war allerdings reine Fiktion. Ein toter Buchmacher konnte keine Forderungen mehr eintreiben.

Der Name Johnny Toes Burke fehlte in Bellanos Aufzeichnungen. Wettleidenschaft gehörte wohl nicht zu seinen Lastern. Und Autobomben?

13

Dienstagmorgen nach dem Frühstück zog ich Handschuhe an und trat auf den Balkon hinaus.
Während der Nacht hatte es zu schneien aufgehört. Auf den Holzplanken lagen dreißig Zentimeter Neuschnee. Der Gartengrill stand als große weiße Kugel in der Ecke. Ich befreite ihn vom Schnee, hob Deckel und Grillpfanne hoch und begann Bellanos Computerunterlagen in das Kohlebecken zu stopfen. Dann hängte ich den Grillrost wieder ein, übergoß das Papier mit Anzünderflüssigkeit und hielt ein Streichholz daran.
Bellanos Unterlagen verbrannten restlos. Ich hatte lediglich die Seiten mit den Daten von Stan Fowler, Mitch Overholser und Gary Rivers zurückbehalten und in den Safe geschlossen.
Ich zog mich an und ging hinaus, um den Olds anzulassen.
Die Interstate 70 war schneebedeckt und gestreut, als ich Denver in westlicher Richtung verließ. Vor Idao Springs begann es, erneut zu schneien, und so sollte es den ganzen Weg bis zur Abbiegung zur U.S. 40 bleiben. Als ich den Berthoud-Paß erreicht hatte, wurde das Schneetreiben so dicht, daß ich die Scheibenwischer einschalten mußte. Auf der anderen Seite des Passes wurde das Wetter besser. Ich fuhr in nördliche Richtung durch ein breites, flaches Tal. Sanfte Hügel glitten rechts und links an mir vorbei.
Ich fuhr durch Städte, die kaum Städte waren, Hideaway Park, Fraser, Tabernash.
Als nächstes verließ ich die U.S. 40 und nahm die U.S. 34 zum Rocky Mountain National Park. Die Schnellstraße führte an einigen großen Seen vorbei direkt nach Big Pine. Das Städtchen lag bereits im Nationalpark. Der Big Pine Lake reichte praktisch bis zum Straßenrand. Jetzt war er eine einzige Eisfläche.
Ich fuhr die Hauptstraße von Big Pine entlang.
Es war Dienstagmittag, aber die meisten Läden hatten geschlossen. Big Pine war ein Sommerferienort. Wintersport spielte hier keine Rolle.

Die Adresse, die Angela Bellano mir gegeben hatte, war ein gut hundert Jahre altes, zweistöckiges Holzhaus mit spitzem Dach und hübschen Gauben. Ich parkte den Wagen an der Straße und ging den freigeschaufelten Weg hinauf. Ein eisiger Wind wehte vom See her.
Eine Frau öffnete die Tür, sie sah genauso aus, wie Angela mir Mrs. Henderson beschrieben hatte. Sie war klein, trug ein Kleid mit hohem Kragen und langen Ärmeln und einen Schal. Sie hatte harte, graue Augen, die hinter einer randlosen Brille schimmerten, und weißes Haar, das sie zu einem strengen Knoten im Nacken aufgesteckt hatte. Ihr Mund war dünn. Meine Hoffnungen sanken.
»Was gibt's?« fragte sie mit rostiger alter Stimme.
Ich stellte mich vor und gab Mrs. Henderson meine Karte. Die Pensionswirtin blieb unbeeindruckt. Sie sah mich unverwandt an.
»Familie Bellano hat mich beauftragt, ihre Tochter Stephanie zu finden«, erklärte ich. »Sie ist seit eineinhalb Wochen verschwunden.«
»Verschwunden?« Ihr Blick verlor etwas von der Teilnahmslosigkeit.
»Sie ist von zu Hause weggelaufen. Vielleicht hält sie sich irgendwo versteckt. Könnten wir uns im Haus weiter unterhalten?« Ich hatte bereits das Gefühl, zu Stein und Bein zu gefrieren.
»Und ihre Eltern wissen nicht, wo sie ist?«
»Leider nein.«
»Die armen Leute müssen ja krank vor Sorge sein.«
Mrs. Henderson wußte offenbar noch nichts von Joe Bellanos Tod.
»Das ist richtig. Ich brauche jede Information, die ich bekommen kann.«
»Sie sind also Polizist?«
Mrs. Henderson schien es nichts auszumachen, bei Eiseskälte und schneidendem Wind vor der Tür zu stehen. Ich fror erbärmlich.
»Privatdetektiv, Madam.«
»Können Sie sich ausweisen? Ich meine, abgesehen von dem da!«
Sie deutete auf meine armselige Visitenkarte. Ich zeigte ihr meinen Führerschein, die Sozialversicherungskarte, den Bibliotheksausweis und einige Kreditkarten. Gern hätte ich auch meine Lizenz als Privatdetektiv dazugelegt, aber so was existiert in Colorado nicht. Wer als Privatdetektiv arbeiten möchte, braucht nur ein Schild vor die Tür zu hängen. Ich hatte nicht einmal ein Schild.
Mrs. Henderson bat mich ins Haus.

»Machen Sie die Tür zu. Und putzen Sie sich die Schuhe ab«, befahl sie.
Ich gehorchte.
»Ich habe Stephanie seit ihrer Abreise vergangenen August nicht mehr gesehen«, erklärte Mrs. Henderson. Sie stand in der Mitte der Diele und machte keine Anstalten, mich in ein Zimmer und zu einer Sitzgelegenheit zu führen.
»War Stephanie Ihre einzige Mieterin?«
»Ich habe keine Mieter, ich habe Pensionsgäste, Sir«, korrigierte sie mich streng.
»Natürlich. Das habe ich auch ...«
»Ich hatte insgesamt acht Gäste. Von Mai bis Oktober ist Big Pine für Touristen recht attraktiv. Die meisten Zimmer sind dann ausgebucht. Mein Haus ist keine Ausnahme. Im Winter sieht's natürlich anders aus. Bis auf mich und Mr. Johnson, der im Hinterhaus wohnt und als Hausmeister fungiert, ist das Haus leer.«
»Stephanie und sieben andere, sagten Sie. Vermutlich ausschließlich Frauen.«
»Selbstverständlich.«
»Würden Sie sich gegebenenfalls an ihre Namen erinnern?«
»Gegebenenfalls?«
»Erinnern Sie sich, ob ein Gast Chrissie hieß?«
»Chrissie Smith«, erwiderte sie prompt.
Smith. Großartiger Name. »Waren Chrissie und Stephanie befreundet?«
»Möglich, daß sie sich angefreundet haben. Sie waren ungefähr gleichaltrig. Außerdem wohnten sie den ganzen Sommer nebeneinander.«
»Ist Chrissie hier auf Urlaub gewesen?«
»Das möchte ich annehmen.«
»Wissen Sie, woher sie kam?«
Mrs. Henderson legte einen knochigen Finger an die Lippen. »Ost-Colorado, glaube ich. Ja. Sie hat mir erzählt, daß sie auf einer Farm an der Grenze zu Kansas lebt.«
»Wie nahe an der Grenze?«
Mrs. Henderson stemmte eine Faust in die Hüfte. »Wollen Sie frech werden, junger Mann?«
»Nein, Madam.«
»Nahe« war ein dehnbarer Begriff. Und der Familienname Smith war keine große Hilfe.

»Wie hat Chrissie ausgesehen?« fragte ich.
»Nicht besonders hübsch, muß ich sagen. Siebzehn oder achtzehn Jahre war sie alt. Braune Augen und langes braunes Haar. Reichte ihr fast bis zur Taille.«
»Sie haben ein gutes Gedächtnis.«
»Danke.«
Ich fragte sie nach dem Weg zu der Arztpraxis, in der Stephanie gearbeitet hatte.
Sie beschrieb mir die Route. »Der Arzt heißt Rahsing. Aber er dürfte keine große Hilfe sein.«
»Warum nicht?«
»Weil er nicht der Amtsarzt ist, für den Stephanie gearbeitet hat.«
»Für wen hat sie denn gearbeitet?«
»Doc Early. Er ist vor ein paar Monaten gestorben.«
Ich fand die Praxis am Ende eines kleinen Einkaufszentrums, zu dem der Big-Pine-Supermarkt, Winchell's Café und die Lake-View- Wäscherei gehörten. Im Wartezimmer roch es stark nach Desinfektionsmitteln. Es war leer. Vor der Tür zum Behandlungszimmer stand der Schreibtisch einer Vorzimmerdame, die es aber offensichtlich nicht gab.
»Hallo?« rief ich. Kurz darauf erschien eine Frau im Türrahmen.
Sie war klein und vollbusig, eine hübsche Frau in den Dreißigern, mit ovalem Gesicht, übergroßer Brille und dunklem Haar. Über der Schwesterntracht trug sie eine grüne Wolljacke.
»Was kann ich für Sie tun?«
»Ich hätte gern den Doktor gesprochen.«
»Er ist bei einem Patienten. Haben Sie Schmerzen?«
»Nicht, daß ich wüßte.«
Sie runzelte die Stirn.
»Es ist eine Privatangelegenheit.«
»Dann müssen Sie warten«, verkündete sie und ging.
Ich setzte mich auf eine grüne Couch und griff mir eine Ausgabe des »Reader's Digest« von einem Stapel. Ich hatte ihn halb durch, als eine Frau und ein Junge hereinkamen. Ihnen folgte ein Mann im weißen Kittel. Die Augen des Jungen waren vom Weinen gerötet. Den Arm trug er in einer Schlinge.
»Du bist ein tapferer Junge«, lobte der Doktor. »So eine Verstauchung kann sehr schmerzhaft sein. In ein paar Tagen sehe ich mir das wieder an.«
Die Frau und der Junge gingen. Der Arzt wandte sich an mich.

»Bitte, Sir?«
Ich stand auf. »Doktor Rahsing?«
»Ja, der bin ich.«
Er war ein kleiner dunkelhäutiger Mann, mit dem Gesichtsschnitt und der Stimme eines Asiaten. Ich stellte mich vor.
»Darf ich Ihnen ein paar Fragen stellen?«
»Betreffend?«
»Ihren Vorgänger.«
»Dr. Early«, sagte er. »Tut mir leid, aber den Gentleman habe ich nie kennengelernt. Er wurde ermordet, müssen Sie wissen. Schreckliche Sache.«
»Das ist mir neu. Was genau ist . . .?«
Er hob abwehrend die Hand. »Einzelheiten kenne ich nicht. Ich bin erst seit einem Monat hier. Und der Mord ist im vergangenen Oktober passiert. Sind Sie schon bei der Polizei gewesen? Die können Ihnen mehr erzählen. Jetzt müssen Sie mich entschuldigen. Ein Patient wartet.«
Er wandte sich zum Gehen.
»Hat Ihre Sprechstundenhilfe damals schon hier gearbeitet?«
»Ja, natürlich. Miss Phipps ist seit Jahren hier. Aber, wie gesagt, die Polizei . . .«
»Kann ich mich kurz mit ihr unterhalten, Doktor? Es ist wichtig. Ich arbeite für die Eltern eines Mädchen, das vergangenen Sommer hier in der Praxis ausgeholfen hat. Stephanie Bellano. Sie wird vermißt.«
»Hm. Bitte warten Sie hier«, murmelte er und ging ins Nebenzimmer.
Kurz darauf erschien Schwester Phipps im Türrahmen.
»Dr. Rahsing sagt, Sie sind wegen Stephanie Bellano hier?« Das war eine Frage.
»Richtig. Sie ist von zu Hause weggelaufen. Und es besteht die Chance, daß sie hierhergekommen ist.«
»Weggelaufen?« Sie wirkte ehrlich betroffen.»Nein . . . ich habe sie seit August nicht mehr gesehen.«
»Wie lange arbeiten Sie schon hier?
»Sechseinhalb Jahre.«
»Haben Sie den ganzen Sommer mit Stephanie gearbeitet?«
»Ja.«
»Was genau waren ihre Aufgaben?«
»Sie war als Bürokraft hier. Sie hat das Telefon bedient, Termine

vergeben, Patienten beim Ausfüllen von Formularen geholfen und so weiter. Es gab viel zu tun. Im Sommer haben wir hier massenweise Touristen. Die halten uns in Trab. Meistens mit Kleinigkeiten ... Unfälle von Anglern, Wasserskifahrern und Wanderern. In den vergangenen fünf Jahren hat Dr. Early in den Sommermonaten immer Aushilfskräfte eingestellt.«

»Wie ist Dr. Early ums Leben gekommen?«

Sie schluckte und sah weg. »Er ... er wurde ermordet. Erschossen.«

»Hat man den oder die Täter gefaßt?«

»Nein.«

»Wie ist das passiert?«

Schwester Phipps schüttelte den Kopf. Sie zögerte, mochte wohl nicht darüber sprechen. Schließlich sagte sie: »Er hat einen Einbrecher überrascht.«

»In seiner Wohnung?«

»Nein, hier. Der Mann ... oder wer es auch immer gewesen ist, hatte es offenbar auf Drogen abgesehen. Wir bewahren sie im Hinterzimmer in einem verschlossenen Schrank auf. Die ganze Praxis war auf den Kopf gestellt, als ich ...«

»Sie haben ihn gefunden?«

Sie nickte grimmig.

»Ich wußte sofort, daß etwas faul ist, als ich morgens die Tür aufgeschlossen habe«, berichtete sie. »Ich habe es gespürt. Und dann bin ich ins Hinterzimmer gekommen ... Pillen und Fläschchen waren auf dem Boden verstreut. Dr. Early lag auf dem Rücken. Seine Brust war blutdurchtränkt. Er ... er war schon eiskalt.« Sie sah mich an, als könne ich etwas dagegen unternehmen.

»Muß ein Alptraum gewesen sein«, murmelte ich.

Schwester Phipps schwieg.

»Dann haben Sie die Polizei gerufen?«

»Ja. Chief Grogan hat festgestellt, daß man ihm zweimal in die Brust geschossen hatte. Vermutlich mit einem Jagdgewehr.«

»Hat man jemanden verhaftet?«

»Nein. Es hieß, es sei vermutlich ein Drogenabhängiger auf der Durchreise gewesen.«

»Klingt nicht gerade überzeugend.«

»Ich ...«

»Schwester Phipps!« Dr. Rahsing stand im Türrahmen hinter seiner Sprechstundenhilfe. »Ich brauche Ihre Hilfe. Bitte. Sofort.« Er wandte sich ab, ohne eine Antwort abzuwarten.

Schwester Phipps ging zur Tür.
»Können wir uns später weiter unterhalten?« bat ich.
»Ich weiß nicht.«
»Wann machen Sie hier Schluß?«
»Um sechs. Aber . . .«
»Ist hier um diese Jahreszeit ein Restaurant geöffnet?«
»Das *Trail's End*.«
»Treffen wir uns dort um sieben?«
»Ich . . . ich weiß nicht.«
»Ich lade Sie ein. Wir müssen über Stephanie sprechen.«
»Ich glaube nicht, daß ich Ihnen viel erzählen kann.«
»Sie können mir von Stephanies Abtreibung erzählen.«

14

Das zweitstöckige Backsteinhaus sah wie eine Schule aus, war jedoch Rathaus, Gericht, Polizeistation und Gefängnis von Big Pine in einem.
Die Polizeistation bestand aus einem Raum mit drei alten Stahlschreibtischen, einem Waffenschrank und einem lahmen Tischventilator.
Der Polizeichef Daryl Grogan war der einzige, der an diesem Tag Dienst tat. Grogan war ein korpulenter, kahlköpfiger Mann mittleren Alters. Unter den aufgerollten Ärmeln seines Uniformhemds kam rote Thermounterwäsche zum Vorschein. Seltsamerweise strahlte er trotzdem Kompetenz aus.
»Ich bin ganz allein hier und froh über jede Abwechslung«, sagte er, nachdem ich mich vorgestellt hatte. Er schenkte mir Kaffee ein. »Einer meiner Leute hat Grippe und der andere hat seinen freien Tag. Was kann ich für Sie tun, Mr. Lomax?«
»Ich brauche Informationen über den Mord an Dr. Early.«
»Darf ich fragen, warum?«
Ich erzählte ihm von Stephanie Bellano.
»Soll das heißen, daß es eine Verbindung zwischen Doc Earlys Tod und Stephanie Bellanos Verschwinden geben könnte?«
»Schwer zu sagen. Um des Mädchens willen hoffe ich nicht. Aber ich muß jeder Möglichkeit nachgehen. Erinnern Sie sich an Einzelheiten des Falls?«

»Und ob ich mich erinnere! Seit ich hier Chief bin, ist in diesem Nest nur ein Mord passiert. Der an Doc Early. Und ich arbeite schon seit siebzehn Jahren in Big Pine.«
»Wann ist es passiert?«
»Vor knapp zwei Monaten. Am fünfzehnten Oktober. Betty Phipps hat ihn gefunden und mich angerufen. Ich bin mit einem meiner Leute sofort rüber in die Praxis. Viel konnten wir nicht mehr tun. Der Doc war tot. Ich habe alles versiegelt und den County Sheriff angerufen. Die Kripo von Colorado ist für solche Dinge zuständig. Ich wollte jedenfalls nichts verpfuschen.«
»Der Mörder wurde nie gefaßt?«
»Nie.«
»Irgendwelche Verdächtige?«
»Keinen einzigen.«
»Was ist mit dem Motiv?«
»Sah nach einem Einbruch aus. Der Doc scheint den Täter überrascht zu haben und sich dabei 'ne Kugel eingefangen zu haben.«
»Klingt, als seien Sie anderer Meinung?«
»Hm, könnte durchaus was anderes dahinterstecken.«
»Was denn?«
»Wollen Sie nicht erst wissen, ›warum‹?«
»Doch. Also, warum?«
»Erstens ist der Doc zweimal in die Brust getroffen worden. Haben Sie schon mal von einem Einbrecher gehört, der auf frischer Tat ertappt wird und gleich zweimal schießt? Mann, die meisten sind nicht mal bewaffnet.«
»Ich dachte, heutzutage hat praktisch jeder eine Waffe«, gab ich zu bedenken.
»Stimmt. Durchaus möglich. Aber wie viele Privatpersonen besitzen ein M-16-Sturmgewehr?«
»Ein was?«
»Mit einer solchen Waffe wurde Doc Early erschossen. Die Kripo von Colorado hat Patronen und Patronenhülsen identifiziert. Können Sie sich einen Einbrecher vorstellen, der mit einem Sturmgewehr auf dem Rücken durch ein Fenster einsteigt? Also ich nicht.«
»Was hat im Bericht des Sheriffs darüber gestanden?«
»Einbruch in Tateinheit mit Mord. Offiziell war das auch unsere Theorie. Für eine andere Theorie fehlten Beweise.«
»Aber Sie sind nicht überzeugt?«
»Nein, bin ich nicht. Und die anderen waren's auch nicht.

»Angenommen, es war kein Einbrecher.«
»Okay, angenommen«, antwortete er.
»Warum hätte jemand Doc Early ermorden sollen?«
»Das genau ist die Frage. Noch Kaffee?«
Die erste Tasse hatte einen üblen Nachgeschmack hinterlassen.
»Gern.«
Der Chief füllte unsere Tassen. »Doc Early war nicht der typisch arrogante Arzt. Er ging gern auf die Jagd, trank und pokerte gern mit den Jungs. War ja in Ordnung. Aber er hatte sich auf etwas eingelassen, das nicht in Ordnung war. Offiziell wußte ich es gar nicht. Es ging das Gerücht, daß er Wetten für Baseball- und Footballspiele annahm. Mit anderen Worten, er war ein Buchmacher.«
»Der Amtsarzt von Big Pine soll Buchmacher gewesen sein?«
»Ich wußte das, wie gesagt, nur vom Hörensagen. Was ich nicht wußte, war, daß der Doc bereits alles versuchte, um Geld aufzutreiben, damit er die Praxis erhalten konnte. Ein Amtsarzt wird vom Landkreis und von den Patienten bezahlt, aber das meiste macht er für 'n Appel und 'n Ei. Ich schätze, falls Doc Early als Buchmacher gearbeitet hat, dann nicht aus persönlicher Profitsucht. Er wollte helfen, die Praxis zu finanzieren. Trotzdem ist das Geschäft des Buchmachers ein ernstes Vergehen. Ich durfte darüber nicht hinwegsehen. Auch wenn der Doc mein Freund gewesen ist. Und da er mein Freund war, habe ich ihn gewarnt. Ich hatte ihm gesagt, was mir zu Ohren gekommen war und daß ich der Sache bald gründlich nachgehen müsse. Wenn ich dann Beweise fände, müsse sich die Stadt nach einem neuen Arzt umsehen.«
»Glauben Sie, der Mord war im Zusammenhang mit Wettgeschäften zu sehen?«
»Nicht unbedingt. Ich wollte damit nur sagen, daß sich Doc Early nicht immer strikt an die Spielregeln gehalten hat. Was nicht bedeutet, daß er kein ausgezeichneter Arzt war. Das war er nämlich. Ich halte es allerdings für möglich, daß er einmal zuviel riskiert hat, dabei an die falsche Person geraten ist und deshalb erschossen wurde.«
Er schnalzte mit der Zunge. »So geht's im Leben.«
»Scheint Sie ja nicht allzusehr zu beunruhigen.«
»Was?«
»Daß Dr. Earlys Mörder in Ihrer Stadt wahrscheinlich frei herumläuft.«
»Nicht wahrscheinlich.«

»Wieso sind Sie so sicher?«
»Weil ich aus dieser Gegend stamme, Mr. Lomax. Ich kenne im Umkreis von hundert Kilometer jedes Kind. Und in dieser Gegend gibt's zwar 'ne Menge Waffenliebhaber, aber höchstens drei, ich eingeschlossen, wissen, wie man mit einem M-16-Sturmgewehr umgeht. Außerdem dürfte es verdammt schwierig sein, an eine solche Waffe heranzukommen. Und nicht zuletzt ist bei uns keiner so schlau oder raffiniert genug, einen Mord durch einen Einbruch zu tarnen . . . und dann auch noch die richtigen Drogen zu klauen.«
»Verstehe.«
»Trotzdem kann es durchaus ein normaler Einbruch gewesen sein, bei dem der Täter überrascht wurde«, schloß er mit einer wegwerfenden Handbewegung.
»Aber Sie glauben das nicht.«
»Nicht die Bohne«, versicherte er mir.
Ich war versucht, ihm recht zu geben. Vor allem bewegte mich die Frage, ob es Zufall gewesen sein konnte, daß sowohl Dr. Early als auch Joseph Bellano mit einer Waffe aus dem militärischen Bereich getötet worden waren.

Das Restaurant *Trail's End* war ein schlichtes Etablissement im Country-Stil. An diesem Abend herrschte dort gähnende Leere. Ich wählte einen Tisch, kaute auf einem Zahnstocher herum und wartete auf Betty Phipps.
Fünf Minuten später, um punkt sieben Uhr, kam sie.
Betty Phipps begrüßte mich aber zurückhaltend. Die Bedienung kannte sie mit Vornamen.
Betty hatte ihre Schwesterntracht gegen Rock und Pullover vertauscht. Ein angenehmer Duft ging von ihr aus.
»Sie sehen hübsch aus«, sagte ich.
»Woher wußten Sie, daß Dr. Early bei Stephanie eine Schwangerschaftsunterbrechung vorgenommen hat?« fragte sie leise, ohne auf meinen Konversationston einzugehen.
»War nicht schwer zu erraten. Stephanie war im April schwanger. Im August war sie es nicht mehr. In der Zwischenzeit hatte sie in der Praxis von Doc Early gearbeitet.«
»Hm!«
»War Doc Early in der Stadt für so etwas bekannt?«
»Aus Ihrem Mund klingt das, als sei es etwas Schmutziges!«
»Aus meinem Mund? Und wer flüstert die ganze Zeit?«

Betty sah sich hastig um. Die wenigen Gäste waren mit ihrem Essen beschäftigt.
»Ich glaube, gewußt haben es alle«, antwortete sie. »Aber nicht alle haben es gebilligt. Wir haben gelegentlich häßliche Drohanrufe bekommen. Natürlich anonym.«
Die Bedienung nahm unsere Bestellung auf.
»Hat jemand mal gedroht, ihn umzubringen?«
Betty sah mich entsetzt an. »Nein. Nein, nicht daß ich wüßte. Und so was hätte er mir nicht verheimlicht.«
»Wußten Sie, daß er Buchmacher war?«
»Was?«
Etliche Köpfe schauten in unsere Richtung, so laut hatte sie gesprochen.
»Dr. Early hat Wetten entgegengenommen«, fuhr ich gelassen fort. »Und dafür zehn Prozent kassiert.«
»Das ist eine Lüge.« Ihre Augen blitzten wütend . . . und ängstlich.
»Es ist die Wahrheit.«
Sie schob ihren Stuhl zurück, als wolle sie aufstehen.
»Ich bin wegen Stephanie Bellano hergekommen«, erklärte sie. »Und nicht, um mir Verleumdungen über Bill Early anzuhören.«
»War nicht beabsichtigt.«
»Was dann?«
»Stephanie zu finden, bevor ihr etwas zustößt.«
Sie hielt meinem Blick einen Moment länger stand, dann sah sie weg.
»Hören Sie, Betty. Stephanie hat dieses Kind nicht haben wollen, ist verschwunden und ihr Vater und ihr Arzt wurden ermordet. Ich glaube, es gibt da einen Zusammenhang.«
Betty Phipps wollte etwas sagen, klappte dann plötzlich den Mund wieder zu, als die Bedienung mit unserem Salat erschien. Betty rückte ihren Stuhl wieder an den Tisch, griff nach der Gabel und steckte sie in eine Tomatenscheibe. Dann legte sie die Gabel beiseite.
»Wenn ich kann, helfe ich Ihnen«, versprach sie.
»Danke.« Ich aß ein Salatblatt. Das Dressing schmeckte gut. »Wieso waren Sie so überrascht, daß ich über Stephanie Bescheid wußte?«
»Weil Stephanie diese Sache verständlicherweise unbedingt geheimhalten wollte. Sie hatte panische Angst, ihre Eltern könnten davon erfahren. Sie hat mich und Dr. Early schöwren lassen, niemandem davon etwas zu sagen.«

»Sie scheint dem guten Doc blind vertraut zu haben«, bemerkte ich.
»Er war ein guter Arzt. Ich meine, er war außerdem ein fabelhafter Mensch.«
In diesem Punkt war ich nicht so sicher. Nicht nach meinem Gespräch mit Chief Grogan.
»Erzählen Sie mir doch bitte mehr davon.«
»Da gibt's nichts mehr zu erzählen. Dr. Early hat die Schwangerschaftsunterbrechung durchgeführt. Ich habe assistiert. Es lief alles glatt, schmerzlos und ohne Komplikationen. Wenige Tage später saß Stephanie wieder an ihrem Schreibtisch im Empfangszimmer.«
»Einfach so?«
»Ja. Sie war erst im zweiten Monat gewesen. Da ist es verhältnismäßig einfach. Natürlich war sie deprimiert. Das sind die armen Mädchen meistens. Die einen kommen schnell darüber hinweg, andere tun sich schwerer.«
»Und Stephanie?«
»Sie war noch immer sehr deprimiert, als sie im August wegging.« Betty wirkte schuldbewußt, als sie das sagte.
»Wie viele Abtreibungen hat Dr. Early monatlich durchgeführt?«
»Das klingt, als habe er so was wie am Fließband gemacht. So ist es nicht gewesen. Es zwar ziemlich selten.«
»Wie selten?«
»Ein paar im Jahr. Vielleicht auch mehr. Dr. Early verlangte nur wenig Geld dafür. Nur das, was sich die Mädchen oder ihre Freunde leisten konnten.«
»Wie hatte Stephanie ihren Job bei Doc Early bekommen?«
»Dr. Early hat sie eingestellt.«
»Kannte er ihren Vater?«
»Ja.«
»Haben Sie ihn gekannt?«
»Man hat uns vorgestellt.«
»Haben Sie gewußt, daß er ein Buchmacher war?«
»Ich habe nicht danach gefragt«, entgegnete sie.
Die Vermutung lag nahe, daß Joseph Bellano, der erfahrene Buchmacher, Doc Early überhaupt erst ins Geschäft eingeführt hatte.
»Wer hat sich um Earlys Bücher gekümmert? Ich meine die Praxisunterlagen?«
»Er selbst. Ich habe ihm geholfen. Jetzt mache ich es allein.«
»Gab es Zahlungen, die nicht direkt von Patienten kamen?«

»Ja. Es gab Spenden.«
»Und das alles steht in den Büchern?«
»Ja.«
»Ich würde sie mir gern mal ansehen.«
»Oh, also ich weiß nicht, ob . . .«
»Wenn möglich noch heute abend.«

15

Ich bezahlte die Zeche und fuhr mit Betty Phipps zur Praxis zurück.
Betty Phipps schloß auf. Wir betraten den dunklen Vorraum. Betty schaltete die Neonbeleuchtung an.
»Dr. Rahsing ist damit vielleicht nicht einverstanden«, gab sie zu bedenken.
»Muß er unbedingt davon erfahren?«
Sie zögerte. »Nein.«
Ich folgte ihr in die rückwärtigen Räume. Die Praxis bestand aus einigen Untersuchungszimmern mit Waschbecken, Glasschränken und schmalen, gepolsterten Untersuchungstischen. Dahinter lag ein verhältnismäßig geräumiges Büro mit einem großen, alten Holzschreibtisch und einer Reihe von Aktenschränken. Betty zog die untere Schublade eines Aktenschranks auf, nahm einen Hängeordner heraus und legte ihn auf den Tisch.
»Das ist das Buch, in das wir alle Vorgänge eingetragen haben«, erklärte sie. »Es ist alles etwas unübersichtlich. Tätigkeitsbericht und Zahlungseingänge wurden zusammengewürfelt.«
»Fangen wir mit dem Monat Juni an«, schlug ich vor.
Ich beugte mich über Betty. Ihr Haar duftete angenehm. Sie schlug das Buch auf und blätterte darin. Schließlich deutete sie auf eine Seite.
In den einzelnen Rubriken waren Datum, Patientenname, Behandlungsart und Behandlungskosten verzeichnet. Schnittwunden und Schürfungen, Husten und Erkältungskrankheiten sowie Knochenbrüche waren offenbar das tägliche Brot der Praxis gewesen. Darüber hinaus gab es Eintragungen, die nur aus Datum, dem bezahlten Geldbetrag und dem Vermerk »anonym« bestanden. Hiervon entdeckte ich pro Woche gut ein halbes Dutzend Einträge. Die

eingenommenen Summen rangierten zwischen zehn und fünfzig Dollar.
»Wissen Sie, was das hier bedeutet?« wollte ich wissen und legte meinen Finger auf den Vermerk »anonym«.
Betty Phipps sah zur Seite. »Selbstverständlich. Das sind Spenden.«
»Wollen Sie mir einen Bären aufbinden?«
»Aber das stimmt«, beharrte sie mit unschuldig weit aufgerissenen Augen. »Viele Leute spenden für gute Zwecke . . .«
»Betty, lassen wir das Theater, ja?«
Sie preßte die Lippen aufeinander.
»Dr. Early hat als Buchmacher gearbeitet, und die Eintragungen sind seine Gewinne, stimmt's?«
Betty schwieg.
»Hören Sie, Betty. Es bleibt doch unter uns.«
Sie starrte auf das Buch. Schließlich nickte sie kaum merklich. »Aber er hat nichts für sich behalten«, murmelte sie. »Es ging alles an die Praxis.«
»Wie hat er die Wetten angenommen?«
»Über sein Privattelefon hier in der Praxis.«
»Stammten die Wettkunden alle aus Big Pine und Umgebung?«
»Ja. Dr. Early kannte jeden persönlich. Er versuchte, so vorsichtig wie möglich zu sein.« Betty seufzte. »Mir hat das nicht gefallen. Und ihm vermutlich auch nicht. Aber es war für einen guten Zweck.«
»Was hatte Joseph Bellano damit zu tun?«
»Er hat Dr. Early angelernt.«
»Wie ist es dazu gekommen?«
»Sie waren Freunde. Mr. Bellano hat jeden Sommer mit seiner Frau und den beiden Töchtern ein Ferienhäuschen am See gemietet. Big Pine ist eine kleine Stadt. Hier kennt jeder jeden. Mr. Bellano wußte um die schwierige Finanzlage des öffentlichen Gesundheitsdienstes, und daß die Praxis ums Überleben kämpfte. Er hat Dr. Early gezeigt, wie er mit Wettannahmen zusätzlich Geld verdienen konnte.«
»Und Dr. Early hat sich erkenntlich gezeigt, indem er Stephanie als Aushilfe einstellte?«
»Ja. Aber während des Sommers brauchten wir sowieso immer Verstärkung.«
»Ich verstehe.«

Ich sah die restlichen Eintragungen im Juni durch. Die sogenannten anonymen Spenden häuften sich. Ansonsten fiel mir nichts Ungewöhnliches auf. Ich blätterte zum Juli um. Hier entdeckte ich den Eintrag: »Stephanie Bellano: 10. Juli – Routineuntersuchung, kein Honorar.«
»War das Stephanies Schwangerschaftsunterbrechung?«
Betty Phipps nickte. Mein Blick schweifte ein paar Zeilen tiefer. Unter dem Datum des 12. Juli fand sich die Eintragung: »Christine Smith – Routineuntersuchung, 150 Dollar.«
»War das auch eine Abtreibung?« fragte ich.
Betty las die Eintragung. »Ja.«
»Erinnern Sie sich an das Mädchen?«
Sie zog die Brauen zusammen. »Vage. Sie war vielleicht neunzehn und mittelgroß. Ich glaube, sie hatte langes braunes Haar.«
Da war die gesuchte Chrissie.
»Haben Sie ihre Adresse?«
»Da bin ich sicher. In der Patientenkartei.«
Sie nahm eine dreiteilige Akte aus dem Schrank, die die wichtigen statistischen Einzelheiten jedes Patienten und seiner Behandlung unter Dr. Early enthielt.
Wir fanden die Karteikarte Smith, Christine. Darunter war vermerkt, daß sich die Patientin bester Gesundheit erfreute. Außerdem waren ihre Größe, Gesicht, Haar- und Augenfarbe und Adresse angegeben. Sie lautete: Wray, Colorado.
»Ist die Adresse echt?«
»Echt?« Betty betrachtete das Blatt Papier. »Das ist meine Handschrift. Wir verlangen immer, daß sich die Patienten ausweisen. Ich glaube, Miss Smith hatte mir ihren Führerschein gezeigt.«
Ich sah die restlichen Eintragungen des Monats Juli durch. Instinktiv suchte ich nach irgendeinem bekannten Namen. Ich wollte schon umblättern, als mir die Eintragung vom 31. Juli ins Auge stach:
Geschlecht: männlich; Alter: 6 Monate; Gewicht: 8 kg;
Länge: 65 cm; Haarfarbe: schwarz; Augenfarbe: blau;
Dr. Early konnte nur noch den Tod feststellen.
Todesursache: Plötzlicher Kindstod.
Der Name des Kindes wurde mit Thomas Rhynsburger angegeben. Ich deutete auf den Eintrag.
»Daran erinnere ich mich«, sagte Betty. »Dabei bin ich an diesem Tag gar nicht im Dienst gewesen. Als ich am nächsten Morgen in

die Praxis kam, war Stephanie sehr aufgeregt. Sie war dabei gewesen, als die Eltern das tote Kind gebracht hatten. Und das hat sie sehr mitgenommen.«

»Waren die Eltern aus der Gegend?«

»Nein. Laut Dr. Early sind es Touristen aus einem anderen Staat gewesen.«

»Ist die Todesursache vom Coroner bestätigt worden?«

»Dr. Early war der Coroner.«

Ich blätterte zum August weiter. Noch mehr Schnittwunden, Knochenbrüche und anonyme Spenden. Sonst nichts. Ich blätterte zum September weiter. Lediglich ein Eintrag vom 3. September erregte meine Aufmerksamkeit. An diesem Tag hatte eine anonyme Person dem Gesundheitsdienst zehntausend Doller gespendet.

»Was ist denn das?«

»Ich ... weiß nicht.« Betty wich meinem Blick aus.

»Keine Ausflüchte, bitte! Sie wissen über alle Eingänge Bescheid. Warum also nicht über diesen?«

Sie schüttelte den Kopf. »Ich habe wirklich keine Ahnung. Natürlich habe ich den Vermerk gesehen. Ich habe Dr. Early auch danach befragt. Er hat geantwortet, ich solle mir deswegen keine Sorgen machen. Natürlich kam mir die Sache ungewöhnlich vor, aber ich bin ihr nicht weiter nachgegangen.«

»Ungewöhnlich? Meinen Sie nicht vielmehr ungesetzlich?«

Sie schwieg.

»Eine Menge Geld. Mehr als nur eine einfache Wette einbringen kann.«

»Ich weiß«, gab sie ernst zurück. »Aber ich kann wirklich nicht sagen, wofür uns das Geld gegeben wurde.«

Ich überflog die restlichen Eintragungen des Monats, ohne auf Besonderheiten zu stoßen. Das galt auch für den Oktober. Mit dem 15. Oktober hatte der Buchmacher den Laden dichtgemacht. Endgültig.

Betty stellte die Akte in den Schrank, löschte das Licht und schloß ab. Ich fuhr sie zurück zum *Trail's End*. Dort auf dem Parkplatz stand allein auf weiter Flur Bettys Wagen. Das Restaurant hatte längst geschlossen.

»Ich bin Ihnen für Ihre Hilfe sehr dankbar«, sagte ich.

»Glauben Sie, Sie finden Stephanie?«

»Ich hoffe es. Jetzt rede ich erst mal mit Christine Smith.«

Betty nickte. Sie starrte durch die Windschutzscheibe und machte

keine Anstalten auszusteigen. Wir saßen schweigend nebeneinander und horchten auf das Motorengeräusch des Olds.
»Möchten Sie ... noch einen Drink?« fragte ich schließlich.
Sie sah mich an. »Ja, gern.«
»Gut. Kennen Sie eine nette Bar?«
»Ja.«
Sie fuhr mit ihrem Wagen durch die Stadt voraus und auf die Ringstraße um den See. Vor einem kleinen Holzhaus hielt sie an. Es war eines von mehreren Dutzend Ferienhäuser, die leer und verlassen wirkten. Ich stellte den Olds ebenfalls in der Einfahrt ab.
Das kleine Wohnzimmer hatte Holzwände und Kiefernmöbel mit blauen Polstern. In den Vasen standen Trockenblumen, und an den Wänden hingen Blumenbilder.
Ich half Betty, den großen Kamin anzuzünden. Wir tranken Brandy. Ich erzählte von meiner Arbeit als Privatdetektiv, und sie sprach über ihre Arbeit als Krankenschwester in einer Kleinstadt. Der Mann, mit dem sie vier Jahre befreundet gewesen war, hatte sie im Frühjahr verlassen.
Sie fragte mich, ob es eine Frau in meinem Leben gebe. Ich dachte an meine tote Katherine und verneinte.
Wir gingen zusammen ins Bett. Es passierte ohne leidenschaftliches Stöhnen oder zärtliches Geflüster. Gegen Ende seufzte sie einmal leise, ein Schaudern ging durch unsere Körper, und wir klammerten uns wie Ertrinkende aneinander.

Am nächsten Morgen machte Betty Frühstück. Wir redeten über das bevorstehende Weihnachtsfest, über die Berge und die Schönheit des Sees in der kalten Morgensonne ... über alles, nur nicht über die vergangene Nacht.
Ich spülte ab, während sie sich im Badezimmer fertig machte.
Draußen war es klar und kalt, und der Schnee knirschte unter unseren Sohlen. Wir starteten unsere Autos und ließen die Motoren laufen, während wir das Eis von den Fensterscheiben kratzten. Ich suchte krampfhaft nach einem halbwegs intelligenten Abschiedsspruch. Betty kam mir zuvor.
»War nett, dich kennenzulernen.«
Ich machte mich auf die lange, kalte Rückfahrt nach Denver.

16

Gegen Mittag war ich zu Hause.
Ich wärmte eine Büchse Minestrone »Extra würzig« in einem Topf an. Dann rief ich Angela Bellano an. Die Frage nach Stephanie erübrigte sich. Angela kam mir zuvor:
»Gibt's was Neues?«
»Ich habe das Mädchen gefunden, das Stephanie in Big Pine kennengelernt hat. Chrissie Smith.«
»Hat sie Stephanie gesehen?«
»Ich habe noch nicht mit ihr gesprochen. Aber ich kenne ihre Adresse.«
»Ach so. Und wann fahren Sie zu ihr?«
Wray liegt ungefähr zehn Meilen westlich der Grenze von Colorado, wo Nebraska und Kansas zusammentreffen. Bei winterlichen Straßenverhältnissen mußte ich eine gut vierstündige Autofahrt veranschlagen. Dabei hatte ich bereits den ganzen Vormittag auf der Straße zugebracht.
»Bin schon unterwegs«, antwortete ich zähneknirschend.
Bevor ich die Wohnung verließ, steckte ich meine Waffe ins Hüfthalfter. Möglicherweise hielt sich Stephanie auf einer Ranch auf. Und Rancher waren erfahrungsgemäß bewaffnet. Ich zog es vor, auf alles vorbereitet zu sein.
Nach einer Stunde Fahrt hatte ich das offene Land erreicht. Die monotone Weite der ebenen Schneefelder wurde nur gelegentlich von Häusern, Scheunen, Lagerschuppen und Zäunen unterbrochen. Der Horizont war eine verschwimmende Linie in Weiß und Grau.
Ein paar Stunden später erreichte ich Fort Morgan und bog auf den State Highway 34 ab.
Der Wind war stärker geworden. Die wenigen Autos, denen ich begegnete, fuhren vorsichtig und langsam.
Es war fast sechs Uhr abends, als ich Wray erreichte.
Rechts und links der Hauptstraße brannten nur vereinzelt Lichter.
An der nächsten Tankstelle tankte ich und erkundigte mich nach dem Weg.
Das Haus lag gut eine Meile vom Stadtkern entfernt.
Es war ein schlichtes, einstöckiges Backsteinhaus aus den fünfziger Jahren. Wäre der gut zwölf Hektar große Hinterhof nicht gewesen, man hätte es für ein Vorortwohnhaus halten können. Die Rei-

fen meines Wagens knirschten auf verharschtem Kies, als ich die kreisförmige Auffahrt hinauffuhr.
Bevor ich noch den Motor abstellen konnte, flammte die Lampe über dem Eingang auf. Als ich ausstieg, schlug mir eisige Kälte entgegen. Drinnen im Haus bellten Hunde.
Eine Frau öffnete die Tür. Sie trug einen dicken, handgestrickten Pullover, war ungefähr vierzig, hatte langes, dunkles Haar, ein schmales Kinn und müde, aber freundliche Augen. Zwei Golden Retriever bellten sich im Hintergrund die Seele aus dem Leib.
»Ich weiß, es ist spät«, begann ich und stellte mir vor. »Ich suche Chrissie Smith.«
Die Frau zog die Hunde an ihren Halsbändern ins Haus zurück und redete beruhigend auf sie ein.
»Ich bin Chrissies Mutter. Ist was passiert?«
»Nicht, daß ich wüßte. Eine Familie in Denver hat mich engagiert, ihre Tochter, Stephanie Bellano, zu finden. Ich hatte gehofft, daß sie bei Chrissie ist.«
»Chrissie ist . . . im Moment nicht da.«
»Im Moment nicht da? Das soll wohl ein Witz sein!« tönte es höhnisch aus dem Inneren des Hauses.
Hinter Mrs. Smith tauchte ein Mann auf. Er trug Bademantel und Hausschlappen. Sein Haar war zerzaust, das Gesicht kränklich blaß und die Nase gerötet.
»Chrissie lebt überhaupt nicht mehr hier. Wer zum Teufel ist das, Alice?«
»Ein Detective aus Denver«, sagte Alice Smith. »Er sucht eine Freundin von Chrissie.«
»Na, dann weißt du ja, wo du ihn hinschicken mußt.« Er nieste.
»Leg dich wieder ins Bett, Schatz. Ich koche dir Tee.«
»Ich kann mir selbst Tee kochen.« Er drehte uns den Rücken zu. »Und mach die Tür zu. Es kommt kalt rein.«
Alice Smith zögerte, dann bat sie mich ins Haus.
Das Haus war im typisch neo-amerikanischen Stil eingerichtet. Die bevorzugten Farben waren Beige und Braun. Auf Lampenschirmen, Sessel- und Sofalehnen im Wohnzimmer lagen Schutzhüllen aus Plastik. Auf dem Couchtisch stand ein Aschenbecher von der Größe eines Kanus. Die Hunde beschnupperten meine Hosenaufschläge.
»Mein Mann hat eine Erkältung«, erklärte Mrs. Smith entschuldigend.

Ich nickte. »Ihre Tochter lebt also nicht mehr hier?«
»Natürlich lebt sie hier«, entgegnete Alice Smith mit Nachdruck. »Es ist ihr Zuhause. Ich halte ihr Zimmer in Ordnung. Sie kann kommen und gehen oder bleiben wann und wie lange sie möchte. Sie ist eine erwachsene junge Frau.«
»Verstehe.« Es war offensichtlich, daß Chrissies Mutter die Abnabelung der Tochter noch nicht verwunden hatte. »Wo lebt ... wo ist Chrissie jetzt?« verbesserte ich mich hastig.
»Drüben im Haus von Reverend Lacey.«
»Reverend? Wenn der Pfarrer ist ...« rief Mr. Smith aus der Küche. »... dann bin ich der Papst.«
»Es geht ihm nicht gut«, murmelte Mrs. Smith. »Was das Mädchen betrifft, das Sie suchen ...«
»Stephanie Bellano.«
»Vergangene, nein vorletzte Woche ist ein Mädchen hier gewesen und hat nach Chrissie gefragt. Ihren Namen habe ich nicht verstanden. Ich habe ihr gesagt, wo Chrissie ist.«
Ich zeigte Alice die Fotos von Stephanie.
»Das ist sie«, behauptete sie.
»War sie allein?« Stephanie war schließlich ohne Auto unterwegs.
»Ja«, erwiderte Alice Smith. »Jetzt, da Sie es erwähnen, fällt mir auf, daß sie zu Fuß unterwegs gewesen sein muß. Einen Wagen habe ich nicht gesehen.«
Stephanie war vermutlich per Anhalter von Denver nach Wray gekommen, überlegte ich.
»Sie haben gesagt, Chrissie halte sich bei einem Reverend Lacey auf?«
»Ja. Sein Anwesen liegt ungefähr dreißig Meilen von hier.«
»Ist das eine Religionsgemeinschaft?«
»Nicht direkt. Eher eine Kommune. Sie halten Vieh und bauen Weizen, Mais und Gemüse an.«
»Ist er ordentlicher Pfarrer?«
»Er ...«
»Verdammt, nein!« Bob Smith kam aus der Küche, Teetasse und Untertasse in der Hand. Er setzte sich auf die Couch, trank einen Schluck Tee und verzog angewidert das Gesicht.
»Natürlich veranstaltet er Bibellesungen, nennt das Anwesen ›Die Kirche von Soundso‹, aber er ist kein richtiger Pfarrer.«
»Bob, bitte!«
Bob Smith sah mich an. »Dieser Lacey ist vor vier oder fünf Jahren

hier aufgetaucht. Der alte Roy Smalls war gerade gestorben, und seine Witwe hatte die Farm zum Verkauf ausgeschrieben. War kein gutes Land. Lacey hat alles für einen Spottpreis gekriegt. Danach hat er ein Schild am Zaun aufgehängt und die Farm zur Kirche ernannt. Steuerlich gesehen eine verdammt schlaue Sache. Muß ich zugeben.«

»Bob ...«

»Ist auch egal«, fuhr Bob Smith fort, ohne die Warnung seiner Frau zu beachten. »Der sogenannte Reverend Lacey hat die Arme weit aufgemacht und jeden Herumtreiber, Spinner und Drogenabhängigen zwischen hier und Denver bei sich aufgenommen.«

Alice Smith wandte sich seufzend an mich. »Die meisten Anhänger von Reverend Lacey sind junge Leute aus Denver. Einige versuchen, ihre Drogensucht zu überwinden. Er gibt ihnen ein Dach über dem Kopf und was zu essen. Als Gegenleistung helfen sie ihm, den Hof zu bewirtschaften.«

»Helfen?« schnaubte Bob Smith verächtlich. »Ich wette einen Dollar mit dir, daß sich Lacey nie die Hände schmutzig macht.«

»Und warum ist Ihre Tochter dort?« fragte ich. »Hatte sie ein Drogenproblem.«

»Großer Gott, nein!«

»Nein«, sagte auch Alice Smith. »Wie viele seiner anderen Anhänger, ist sie bei ihm, um ... der modernen Gesellschaft zu entfliehen. Sagt sie wenigstens.«

»Der modernen Gesellschaft?« wiederholte ich.

»Verantwortung wäre wohl eher das Wort«, fiel Bob Smith ein. »Die meisten dort sind Grünschnäbel, die vor irgendwas davonlaufen ... und für Lacey billige Arbeitskräfte abgeben.«

»Also, Bob, das stimmt nicht ganz.«

»Und es stimmt doch«, wiedersprach er wütend. »Wenn Chrissie das erst mal begreift, dann haben wir vielleicht auch wieder 'ne Tochter. Im Augenblick haben wir keine.« Er starrte seine Frau an, ließ den Kopf hängen und wandte sich ab. »Ich gehe ins Bett!« verkündete er.

Alice Smith und ich standen uns einen Moment schweigend gegenüber. Dann bat ich um eine Wegbeschreibung zu Reverend Laceys Farm.

»Wenn Sie dort sind ... und Chrissie sehen ...«

»Ja?«

»Bitte, richten Sie ihr Grüße aus.«

Alice Smith' Beschreibung führte mich in südliche und dann in westliche Richtung über eine verschneite Landstraße. Der Schneepflug hatte nur eine Hälfte der Straße geräumt. Ich hoffte inständig, daß mir kein Wagen entgegenkommen würde.
Schließlich tauchten rechts und links der Straße hohe Drahtzäune im Lichtkegel meiner Scheinwerfer auf. Es war ein beklemmendes Gefühl. Hinter den Zäunen war es dunkel. In unregelmäßigen Abständen mündeten die Zäune in Toreinfahrten. Daneben waren überdimensionale Briefkästen angebracht. Die Namen der Farmen waren vom Auto aus zu erkennen.
Trotzdem hätte ich die Toreinfahrt zu Laceys Farm beinahe verpaßt. Der obligate Briefkasten fehlte. Am Tor hing lediglich ein Holzschild mit der Aufschrift:

Kirche der Bußfertigen, Rev. J. Lacey
Unbefugten ist das Betreten verboten.

Ich bog in die schmale Auffahrt ein. Die Hinterräder des Olds' rutschten weg, und es dauerte eine Weile, bis die Reifen in den tiefen Spurrillen, die andere Autos hinterlassen hatten, wieder Haftung hatten. Vor dem Tor hielt ich an. Es war durch ein Vorhängeschloß von der Größe einer Männerfaust verschlossen. Ich schaltete die Scheinwerfer aus und kletterte aus dem Olds.
Die Wolkendecke war aufgerissen und zwischendrin blitzten Sterne. Der Mond jedoch blieb von einem wattigen, grauen Schleier verdeckt. Es dauerte einen Moment, bis sich meine Augen an das diffuse Licht gewöhnt hatten.
Das Anwesen der Kirche der Bußfertigen präsentierte sich mir als ein konturloses Schneefeld, auf dem sich die schwarzen Silhouetten undefinierbarer Wesen bewegten. Ich deutete sie als Viehherde, Bäume oder namenlose Dämonen. In der Ferne glühten winzige anheimelnde Lichtpunkte.
Bis auf das Motorengeräusch meines Olds und das leichte Knurren meines Magens war kein Laut zu hören.
Meine Möglichkeiten waren begrenzt. Ich konnte das Schloß knakken, zum Haus fahren, um Essen bitten und hoffen, daß sie mich nicht wegen Hausfriedensbruchs ans Kreuz nagelten. Andererseits stand es mir frei, in die Stadt zurückzufahren und mir ein Motel zu suchen, das in der Nähe einer Kneipe lag.
Der Gedanke an die Kneipe gab den Ausschlag.

17

Am darauffolgenden Morgen stand ich in der winzigen Duschkabine des Columbine Motels solange unter dem heißen Wasserstrahl, bis der Boiler leer war. Klagen anderer Gäste waren nicht zu befürchten. Es gab sie nicht.
Das Motel lag am Rand von Wray. Es war ein häßlicher Komplex von sechs Wohneinheiten mit einem »Zimmer frei«-Zeichen, das sicher noch nie hatte ausgeschaltet werden müssen. Nachdem ich am Vorabend das Zimmer gemietet hatte, war ich in einer nahen Kneipe versackt. Meine Kumpane waren Wildschweinzüchter aus dem Norden der Stadt gewesen. Als ich zur Sperrstunde zu meinem Wagen gewankt war, hatte ich mich beinahe an ihren strengen Geruch gewöhnt.
Die heiße Dusche hatte meine verkaterten Muskeln entspannt. Als ich jedoch in die eisig klare Morgenluft hinaustrat, schloß ich vor der stechenden Helligkeit des Sonnenlichts entsetzt die Augen.
In einem kleinen Restaurant frühstückte ich ausgiebig, und genoß Schinken, Eier und Kaffee.
Dann fuhr ich zur Kirche der Bußfertigen.
Ein königsblauer Himmel wölbte sich über den strahlend weißen, glitzernden Schneefeldern. Ich bog von der verschneiten Straße in die Einfahrt zur Farm der Kirchengemeinde ein. Das Tor war noch immer verschlossen.
Ich stieg aus, knackte das Schloß und stieß das Gatter auf. Dann fuhr ich durch und hielt an. Ich machte das Tor wieder zu. Ich wußte schließlich, was sich gehörte.
Ich folgte den tiefen Fahrrinnen im Schnee. In gut vierhundert Meter Entfernung tauchte ein Farmhaus aus Holz mit zahlreichen Nebengebäuden auf. Die vermeintlichen Dämonen der Nacht entpuppten sich jetzt als Viehherde, die lethargisch den weißen Schnee zu schmutzigem Matsch zertrampelte.
Menschliche Wesen waren nicht zu sehen.
Neben dem Haupthaus und seinen Anbauten kam jetzt ein Propangastank von der Größe eines U-Boots in Sicht.
Die übrigen Gebäude lagen zu meiner Rechten, vom Haupthaus durch eine schmutzige, zertretene Schneefläche getrennt. Dort gab es eine zweistöckige Scheune, einen langgestreckten, niedrigen Hühnerstall, ein Gewächshaus mit stumpfen Fenstern. In den restlichen Bauten vermutete ich Garagen und Vorratshäuser. Abseits

des Farmkomplexes erhob sich ein spitzgiebeliges Holzhaus von der Größe einer Scheune. Über der Tür war ein Kreuz angebracht. Das Holz wirkte frischer als bei den anderen Gebäuden, hatte jedoch bereits zu verwittern begonnen.
Ich hielt neben dem Haupthaus an. Eine junge Frau trat aus dem Hühnerstall. Sie trug einen Korb mit Deckel am Arm.
Als sie mich sah, blieb sie abrupt stehen. Dann eilte sie ins Haupthaus.
Ich stellte den Motor des Olds' ab und stieg aus.
Bevor ich noch einen Schritt tun konnte, flog eine Seitentür des Haupthauses auf und zwei Männer kamen heraus. Beide waren Anfang Zwanzig und trugen Jeans und Flanellhemden. Der größere hatte das lange Haar zu einem Pferdeschwanz zurückgebunden. In der Hand hielt er eine Axt.
»Wer sind Sie?« wollte er wissen.
Ich stellte mich vor. »Ich suche Stephanie Bellano.«
Die Männer sahen sich an.
»Da müssen Sie mit Reverend Lacey reden«, sagte der größere. »Er ist in der Stadt. Also fahren Sie schleunigst wieder weg!« Er machte eine Geste mit der Axt. Die Sonnenstrahlen brachen sich an der scharfen Schneide.
»Wann kommt er zurück?«
»Sind Sie schwerhörig?« fragte der andere. »Sie sollen verduften!«
»Kann ich nicht hier auf den Reverend warten?«
Der größere scharrte mit den Stiefeln im Schnee. Offenbar wußte er nicht recht, wie er sich in Laceys Abwesenheit verhalten sollte.
»Kommen Sie einfach in einer Stunde wieder oder . . .«
Er verstummte. Das Geräusch eines Automotors kam näher. Ich drehte mich um. Ein schwerer Lieferwagen raste vom Tor aus auf uns zu. Hinter den Rädern spritzten Schnee- und Dreckfontänen auf. Das alte Vehikel hatte vier verschiedenfarbige Kotflügel und eine Seilwinde an der Stoßstange. Es kam knapp hinter meinem Olds mit schlingernden Rädern zum Stehen.
»Sieht so aus, als könnten Sie sich das Warten sparen«, sagte der kleinere. Sein Ton gefiel mir nicht.
Reverend John Lacey kletterte aus dem Wagen. Er war ein Mann mit kantigem Gesicht, stahlblauen Augen und rotem Haar. Unter den zu kurzen Ärmeln seines Jacketts sahen kräftige, knochige Handgelenke hervor. Seine geflickte Khakihose steckte in hohen Wanderstiefeln. Mit wenigen, langen Schritten war er bei mir.

»Wer ist dieser Mann!« polterte er, daß die Fenster im Haupthaus klirrten. Bevor die beiden jungen Männer antworten konnten, wandte er sich wütend an mich. »Wer sind Sie und was machen Sie hier?«
»Ich bin Jacob Lomax und . . .«
»Und wie sind Sie durch mein verschlossenes Tor gekommen?«
»Ich hab's aufgeschlossen.«
Er erstarrte. Dann lächelte er sparsam.
»Ein ehrlicher Einbrecher?«
»Ich bin kein Einbrecher, Reverend. Ich bin Privatdetektiv.«
»Was für eine Art Erklärung soll das sein?«
Bevor ich etwas Schlagfertiges antworten konnte, fuhr er fort:
»Was suchen Sie hier?«
»Stephanie Bellano.«
»Sie ist hier nicht.«
»Aber sie ist hier gewesen, oder?«
Er nickte. »Vor ein paar Tagen hat sie uns verlassen. Ihr beide . . .« sagte er über die Schulter. »Ihr helft Judith alles auszuladen und aufzuräumen. Und ich meine alles!«
Zum erstenmal bemerkte ich die junge Frau im Lieferwagen. Sie stieg aus. Dann trugen sie und die Männer Säcke mit Lebensmitteln ins Haus.
»Wo ist Stephanie hin?«
Lacey musterte mich prüfend. »Warum interessiert Sie das?«
»Erstens, weil ihr Vater mich beauftragt hat, sie zu finden. Und zweitens, weil ihre Mutter krank ist vor Sorge.«
Lacey zuckte die Schultern. »Stephanie ist volljährig«, belehrte er mich. »Sie ist ihrem irdischen Vater keine Rechenschaft mehr schuldig.«
»Damit haben Sie recht«, erwiderte ich. »Ihr irdischer Vater ist nämlich von einer Autobombe ins Jenseits befördert worden.«
Er machte den Mund auf und gleich wieder zu.
»Reverend, es ist wichtig, daß ich Stephanie finde.«
»Klingt, als sei sie in Gefahr.«
»Möglicherweise.«
»Und woher weiß ich, daß nicht Sie diese Gefahr sind?«
»Rufen Sie ihre Mutter an.«
»Und woher weiß ich, daß diese Frau ihre Mutter ist?«
»Sie trauen wohl niemandem?« bemerkte ich.
»Ich vertraue Gott.«

»Richtig.«
Er sah mich aus schmalen Augen an. »Stephanie ist nicht hier. Was also wollen Sie noch wissen?«
»Könnten wir uns drinnen weiter unterhalten?«
Er zögerte, dann ging er zum Haus voraus. Er wischte die Schuhe an einer Strohmatte ab und führte mich hinein.
Wir standen in einer riesigen Küche mit sauber gescheuerten Holztheken, zwei Gasöfen, einem großen Kühlschrank und einer Tiefkühltruhe von der Größe eines Sarges. Eisentöpfe und Pfannen baumelten an Haken von der Wand. An der Rückseite stand ein Tisch, an dem gut zwanzig Personen Platz fanden. Zwei Türen führten in andere Teile des Hauses. Die einzige Person, die mit uns in der Küche war, war das Mädchen, das ich aus dem Hühnerstall kommen gesehen hatte. Sie stellte gerade heißes Wasser auf.
Lacey bedeutete mir, mich an den Tisch zu setzen. Er setzte sich ans Kopfende.
»Wann ist Stephanie von hier fort?«
»Vorgestern.«
»Also Dienstag.«
»Sie war mit mir in der Stadt, hat dort telefoniert und anschließend gesagt, es käme jemand aus Denver, um sie abzuholen. Also habe ich sie in der Stadt zurückgelassen.«
»Einfach so?« wollte ich wissen.
»Warum nicht? Hätte ich sie zwingen sollen, mit mir zurückzukommen?«
»Sie hätten mit ihr warten können.«
»Ich hätte viel tun können, Mr. Lomax. Aber ich habe es nicht getan. Zu Hause wartete Arbeit auf mich. Das klingt kaltherzig, aber junge Leute kommen hierher, bleiben eine Weile und gehen wieder weg. Einige bleiben länger als andere. Andere bleiben überhaupt nicht lang. Heute morgen habe ich einen jungen Mann in die Stadt gebracht. Er wollte zurück nach Denver. Er heißt Dexter und ist leider drogenabhängig.«
»Woher weiß ich, daß Stephanie nicht mehr hier ist?«
»Weil ich es Ihnen gerade gesagt habe.«
»Das habe ich gehört, Reverend. Aber woher weiß ich, daß das die Wahrheit ist?«
Er wirkte amüsiert. »Warum sollte ich lügen?«
»Hm, wer weiß?«
»Wollen Sie das Haus durchsuchen?« fragte er spöttisch.

»Gute Idee.«
Er stand auf und starrte wütend auf mich herab. »Ich sollte Sie rauswerfen!«
Ich stand ebenfalls auf.
»Stephanie ist bei der Polizei von Denver als vermißt gemeldet, Reverend«, begann ich. »Der Arm der Polizei von Denver reicht bis hierher. Wenn ich jetzt gehen muß, komme ich mit dem Sheriff, einem Durchsuchungsbefehl und einer Wagenladung Polizisten zurück, die eine Menge Dreck in Ihr Haus bringen werden.«
Es war klar, daß Lacey, der kaum einen Fremden bei sich duldete, erst recht keine Armee von Polizisten auf der Farm haben wollte.
»Genügt die übliche Führung für Besucher?« erkundigte er sich mit einem flüchtigen Lächeln. »Oder wollen Sie einfach nach Herzenslust herumstöbern?«
»Ich möchte, daß Sie und Chrissie Smith mir das Anwesen zeigen.«
»Selbstverständlich«, sagte er ohne Zögern. »Sarah, holst du bitte Chrissie?«
»Ja, Sir.«
Sarah lief hinaus. Ich fragte Lacey, wie viele Personen auf der Farm lebten.
»Hier herrscht ein ständiges Kommen und Gehen. Im Augenblick sind es acht... mich ausgenommen. Fünf Männer und drei Frauen.« Er grinste zynisch. »Soll ich sie zum Appell rufen?«
»Warum nicht?«
Lacey wurde rot. An seiner Stirn pochte eine Ader.
»Vorsicht«, warnte ich. »Wut ist eine der sieben Todsünden.«
In diesem Moment kam Sarah mit Chrissie Smith zurück. Sie sah ihrer Mutter ähnlich. Ihr Haar trug sie zu einem langen Zopf geflochten auf dem Rücken.
»Bringen wir's hinter uns!« sagte Lacey heiser. »Je früher wir Sie los sind, desto besser.« Er wandte sich an die jungen Frauen. »Bitte bringt alle in die Küche. Mr. Lomax möchte eure Fingernägel kontrollieren.«
Die Mädchen sahen sich verwirrt an. Chrissie ging in den Korridor zurück, Sarah trat ins Freie.
Lacey und ich standen uns eine Weile schweigend gegenüber. Dann kamen seine Jünger. Sie waren alle unter und knapp über zwanzig und schlicht und praktisch gekleidet. Zwei der Männer sahen aus, als seien sie für die Arbeit auf der Ranch geschaffen. Die anderen wirkten wie Städter, die sich als Siedler verkleidet hatten.

»Was ist los, Reverend John?« fragte ein bärtiger Typ.
»Mr. Lomax hat gedroht, mit der Polizei zurückzukommen, wenn wir es nicht zulassen, daß er bei uns nach Stephanie Bellano sucht.«
Proteste wurden laut. Lacey hob die Hand.
»Chrissie und ich führen ihn herum. Dann zeigen wir ihm den Weg zurück zur Stadt. Ihr anderen bleibt hier.«
Lacey und Chrissie führten mich von den für Männer und Frauen getrennten Schlafunterkünften zum Gemeinschaftsraum mit Kamin und in sämtliche Vorrats- und Kellerräume. So etwas wie Fernsehapparat, Plattenspieler oder Telefon konnte ich nirgends entdecken.
Schließlich standen wir wieder in der Diele. Ich bestand darauf, auch die Außengebäude zu sehen. Auf dem Weg zum Hühnerstall wandte ich mich an Chrissie.
»Haben Sie Stephanie hier in Big Pine von dieser Farm erzählt?«
Sie sah zuerst mich und dann Lacey an. Er nickte.
»Ja«, antwortete sie.
Im Hühnerstall waren nur Hühner. Wir gingen zum Gewächshaus weiter.
»Wann genau ist Stephanie hier eingetroffen?« fragte ich ihn.
»Freitag vor einer Woche. Ziemlich spät am Abend. Sie war von der Straße aus zu Fuß gekommen, völlig durchnäßt und halb erfroren.«
»Haben Sie sie nach dem Grund ihres Kommens gefragt?«
»Das wußte ich auch so. Sie hatte Angst und suchte Zuflucht. Ich habe sie ihr gewährt. Hier war sie sicher.«
»Vor wem hatte sie Angst?«
»Keine Ahnung. Sie hat es nicht gesagt. Und ich habe nicht gefragt.«
Ich sah Chrissie an. Ihre Augen waren groß und unschuldig.
»Ich weiß es auch nicht.«
»Am nächsten Morgen habe ich ihr die Hausregeln erklärt«, fuhr Lacey fort. »Keine Drogen, keinen Alkohol, keinen Sex. Wir arbeiten, beten und helfen uns gegenseitig. Ich habe ihr gesagt, daß sie solange bleiben könne, wie sie wolle. Sie ist bis vergangenen Dienstag geblieben.
Lacey führte mich ins Gewächshaus. Es war voller Pflanzen. Die Luft war warm und feucht.
»Haben Sie je versucht, Kontakt zu ihren Eltern aufzunehmen?«
»Nein. Stephanie ist volljährig. Aber es stand ihr frei, sich ihrerseits jederzeit bei ihnen zu melden.«
Ich durchsuchte den Stall. Frisches Stroh lag auf dem Fußboden

ausgebreitet. Die sechs Boxen waren sauber und leer. Ich kletterte über die Leiter auf den Dachboden. Außer Heuballen war nichts zu entdecken.
Lacey führte mich durch die übrigen Gebäude: Garagen, Werkstatt, Vorratsschuppen. Von Stephanie keine Spur. Schließlich blieb nur noch die Kapelle.
Zwei Reihen Holzbänke mit hohen Lehnen standen vor einer erhöhten Kanzel. Die Decke war hoch ... so hochfliegend wie wohl Laceys Optimismus ... Die Sitzplätze waren für gut fünfzig Personen ausgelegt. Das einzige Fenster befand sich hinter der Kanzel. Es erlaubte Lacey mit der Sonne im Rücken seiner Gemeinde die Leviten zu lesen.
Ich folgte den anderen ins Freie. Chrissie ging ins Haus. Lacey führte mich zum Wagen.
»Haben Sie gewußt, daß Chrissie im Sommer in Big Pine eine Abtreibung hat vornehmen lassen?«
Er zögerte einen Moment. »Ja.« Damit machte er die Tür zu seinem Lieferwagen auf.
»Haben Sie sie dorthin geschickt?« fragte ich.
»Nein. Ich ... ich war dagegen.«
Der Ausdruck in Laceys Gesicht überraschte mich. Das Thema schien ihn schmerzlich zu berühren.
»Chrissie hatte mir erzählt, daß sie vor einigen Jahren dort in den Ferien von einem Arzt behandelt wurde«, fuhr Lacey bekümmert fort. »Sie hat ihm vertraut. Und sie wollte nicht, daß ihre Eltern davon erfahren.«
»Warum hat sie das Kind nicht gewollt?«
Laceys Blick schweifte in die Ferne zu der klaren Linie des weißblauen Horizonts.
»Sie wollte hierbleiben, Mr. Lomax«, antwortete er langsam. »Und wir haben nicht die Mittel, um Leute durchzufüttern, die nicht arbeiten.«
»Sie meinen Babys und Schwangere?«
»Es war ... Chrissies Entscheidung«, sagte er.
Damit stieg er in seinen Lieferwagen, ließ den Motor an und fuhr rückwärts, um mir Platz zu machen. Ich wendete den Olds und fuhr zum Tor. Lacey folgte mir. Er riegelte das Tor hinter mir ab. Ich fuhr davon und beobachtete ihn im Rückspiegel. Er stand bewegungslos am Eingang seiner Kirche ... Ein großgewachsener, kräftiger Mann, der schwer an seiner Sorgenlast trug.

Dann machte die Straße ein Biegung, und er war aus meinem Blickfeld verschwunden.

18

Ich fuhr nach Denver zurück. Das gab mir fünf Stunden Zeit, um über Reverend Laceys Geschichte nachzudenken. Aber viel gab sie nicht her.
Dreizehn Tage zuvor hatte Stephanie in der Kirche der Bußfertigen Zuflucht gesucht. Vor zwei Tagen hatte sie die Farm verlassen. Nach Laceys Aussage zusammen mit einem Mann. Mit jemandem, den sie in Denver angerufen hatte. Die Möglichkeiten waren begrenzt. Es gab nur wenige Männer in Stephanies Lebens.
Da war ihr Vater gewesen, aber der war telefonisch nicht mehr erreichbar. Da waren Pater Carbone und Onkel Tony. Beide würden sie nicht vor Angela versteckt halten. Dann war da Ken Hausom. Hatte Stephanie vom harten Leben auf der Farm genug gehabt und sich entschlossen, sich wieder mit dem Vater ihres abgetriebenen Kindes zusammenzutun? Klang eigentlich unwahrscheinlich. Und dann gab es noch die vier Kunden aus dem Friseurladen.
Sie beschäftigten mich unbewußt am meisten. Da war etwas, das ich nicht recht analysieren konnte.
Am Spätnachmittag war ich zu Hause. Der Himmel war dunkel und wolkenverhangen. Ich hatte Hunger. Ich hatte seit dem Frühstück nichts mehr gegessen. Mit einem Paket aus einem Fast-food-Restaurant ging ich die Treppe zu meiner Wohnung hinauf. Ich öffnete eine Büchse Bier, aß dazu einen Snack und rief Pater Carbone an.
Er hatte nichts von Stephanie gehört.
Ich wählte Angela Bellanos Nummer.
»Ich konnte Stephanies Spur bis zu einer religiösen Kommune bei Wray verfolgen.« Dann erzählte ich ihr von Reverend Lacey und Chrissie Smith, und daß ich mich selbst davon hatte überzeugen können, daß Stephanie nicht mehr auf der Farm war.
»Könnte sie mittlerweile wieder in Denver sein?«
»Möglich. Hoffen wir das beste.« Mein Optimismus war mir selbst unheimlich.
»Heute sind übrigens zwei Polizeibeamte bei mir gewesen«, be-

richtete Angela Bellano. »Sie haben Joes Arbeitszimmer erneut nach Unterlagen durchsucht . . . und mich gefragt, ob inzwischen jemand hiergewesen sei.«
»Und?«
»Ich habe den Männern von Ihnen und Ihrer Assistentin erzählt. Hoffentlich war das nicht falsch. Ich wußte nicht, ob ich lügen sollte.«
»Keine Sorge.« Großartig! Jetzt hatte ich die Polizei am Hals. »Ich habe noch Hinweise, denen ich nachgehen muß. Sie hören von mir.«
Die Hinweise beschränkten sich eigentlich nur auf eine Person: Ken Hausom. Ich hatte vor, ihn mir am Abend im *Lion's Lair* vorzuknöpfen. Und ein zwangloser Plausch würde das sicher nicht werden. Wahrscheinlich stand ihm bei meinem Anblick der Sinn eher nach Karate als nach Reden.
Vielleicht konnte ich ihn mit einer schönen Frau ablenken. Ich rief Rachel Wynn an. Ich erzählte ihr, daß ich Stephanie noch nicht gefunden hatte, jedoch dem Ziel näher gekommen sei.
»Ich könnte heute abend Ihre Hilfe gebrauchen«, schloß ich.
»Inwiefern?«
»Ich möchte mit Ken Hausom sprechen. Leider ist er sauer auf mich.«
»Also brauchen Sie ein Kindermädchen.«
»Richtig. Wann darf ich Sie abholen?«
»Also . . . im Augenblick essen wir zu Abend. Wann paßt es Ihnen.«
»Wir?«
»Wie bitte? Ach so. Pat und ich.«
Wie nett. »Möchte Pat mitkommen?«
»Möglich.«
Rachel Wynn wohnte am Lafayette Circle in Süd-Denver. Das Haus war ein altes Holzhaus mit neuem Anstrich. Es lag inmitten von hohen, alten Ulmen. Ihre winterlich kahlen Äste reckten sich gegen den wolkenverhangenen Himmel.
Rachel war bereits im Mantel.
»Wir können«, sagte sie, ohne mich hineinzubitten.
»Git. Wo ist Pat?«
»Pat war müde. Sie ist nach Hause gegangen.«
Sie? Welch Lichtblick!
Auf dem Weg zum *Lion's Lair* berichtete ich von der Kirche der Bußfertigen und Reverend Lacey. Ich erzählte, daß Stephanie einen

Mann in Denver angerufen und die Farm verlassen habe. »Ich tippe auf Ken Hausom«, schloß ich.
»Sie haben nur Laceys Wort, daß sie irgend jemanden angerufen hat.«
»Ich weiß.«
»Glauben Sie Lacey?«
»Ich habe praktisch keine andere Wahl. Ich habe das Anwesen gründlich durchsucht. Von Stephanie keine Spur.«
»Vielleicht war sie in einem todsicheren Versteck«, gab Rachel Wynn zu bedenken.
»Ach ja? In einem Geheimgang oder hinter der Wandtäfelung? Lacey hat eine Ranch, kein Schloß aus dem Mittelalter.«
»Ich denke darüber nach.«
Das *Lion's Lair* war wie eine Woche zuvor mehr als gut besucht. Wir fanden zwei freie Plätze an der Bar. Die umstehenden Herren musterten Rachel unverhohlen interessiert. Rachel nahm es gelassen.
»Was darf ich Ihnen bestellen?« fragte ich.
»Jedenfalls nichts mit Eis«, antwortete sie. »Aus der Eismaschine hängt ein alter Lappen.«
Ich bestellte bei Carl, dem Barkeeper, zwei Miller Light. Er erkannte mich erst, als ich fragte, ob Ken schon da sei.
»Nein«. Er musterte mich mit gemischten Gefühlen.
Wir tranken Bier und beobachteten die Leute. Für eine Unterhaltung war es zu laut.
»Verdammt!« sagte Rachel plötzlich.
»Was?«
»Sehen Sie die beiden Mädchen dort drüben? Die mit dem großen, fetten Kerl am Tisch sitzen? Beide sind Schülerinnen von mir ... und minderjährig. Was soll ich tun?«
»Das haben wir gleich«, verkündete ich. »Halten Sie mir meinen Platz frei.«
Ich zwängte mich zwischen den Tischen hindurch, bis ich neben dem betreffenden Herrn stand. Die Mädchen sahen zu mir auf.
»Ihre Frau sucht Sie, Stan«, begann ich.
Fowler drehte sich so hastig nach mir um, daß er beinahe vom Stuhl gefallen wäre. Sein Gesicht war von Alkohol und vor Verlegenheit krebsrot.
»Lomax!« Was machen Sie hier?» zischte er wütend.
»Dasselbe könnte Ihre liebe Frau Sie fragen, Stan. Wollen Sie mich Ihren Freundinnen nicht vorstellen?«

Den jungen Damen war das Lachen vergangen. »Entschuldigt uns!« sagten sie im Chor und standen auf. Sie verschwanden mit ihren Drinks in der Hand in der Menge.
Stan erhob sich und griff nach seinem Jackett, das über der Stuhllehne hing. Es blieb ihm nichts anderes übrig, als auch zu gehen. Seine Tarnung war aufgeflogen.
»Ist Stephanie Bellano wie die beiden auf Ihre Masche reingefallen?«
»Ich weiß nicht, wovon Sie sprechen.«
Er wandte sich zum Gehen. Ich packte ihn beim Arm.
»Sie haben sie hier kennengelernt, stimmt's, Stan?«
»Lassen Sie mich los, oder es passiert was!«
Ich ließ los; aber nicht aus Angst vor Stan. Ken Hausom hatte soeben das Lokal betreten.
»Wir sprechen uns noch, Stan.«
Stan Fowler eilte zum Ausgang.
Währenddessen arbeitete sich Ken händeschüttelnd und schulterklopfend an der Theke entlang. Den Blick hatte er unverwandt auf den einzigen freien Barhocker geheftet, den neben Rachel. Ich holte ihn ein, als er Rachel anmachte.
»He, Baby. Ist der Stuhl . . .«
»Der ist besetzt«, sagte ich. In der Enge an der Bar hatte Ken keine Chance, seine Karate-Tricks zu demonstrieren.
Kens schmieriges Lächeln erstarrte zur Fratze.
»Sie sind praktisch tot, Mann«, zischte er so leise, daß selbst ich Mühe hatte, es zu verstehen.
»Können wir uns vorher noch unterhalten?« bat ich.
»Letzte Woche hatten Sie Glück. Diesmal stehen Sie nicht mehr auf!«
Rachel sah mich fragend an.
»Ken, ich will nur über Stephanie reden. Ich bin in Wray gewesen und . . .«
»Unterhalten wir uns draußen weiter«, unterbrach er mich. »Da haben wir mehr Platz.«
»Ich will mich nicht prügeln.« Das war die Wahrheit.
»Kann ich Ihnen nicht verübeln«, entgegnete er. »Aber Sie haben keine Wahl.«
»Könnt Ihr die Macho-Masche mal 'nen Augenblick unterbrechen?«
Wir sahen beide Rachel an.

»Sie können ihn später verprügeln, Ken, aber . . .«
»Danke bestens«, fiel ich ein.
». . . aber zuerst müssen wir mit Stephanie Bellano reden.«
»Was?«
»Wir wollen uns vergewissern, daß mit ihr alles in Ordnung ist«, erklärte Rachel. »Ihre Mutter ist krank vor Sorge. Das verstehen Sie doch, Ken? Wir wollen sie Ihnen nicht wegnehmen. Wir möchten nur mit ihr sprechen. Okay?«
Ken hatte Rachel angesehen, als rede sie Chinesisch. Als er sich mir zuwandte, war sein Gesicht ein einziges Fragezeichen.
»Gehört sie zu Ihnen?«
»Wir sind zusammen gekommen«, antwortete Rachel.
»Was redet sie da für Schrott?« fragte Ken mich aufrichtig verwirrt.
»Ich habe Stephanies Spur bis zu einer Farm in Wray verfolgt«, klärte ich ihn auf. »Dort hat man mir gesagt, sie sei zwei Tage zuvor mit einem Mann weggefahren. Ich habe auf Sie getippt.«
Ken schüttelte den Kopf.
»Muß ein anderer gewesen sein.«
»Sie lügen!« behauptete Rachel.
»Sie können mich mal!« Ken stieß zwei Finger in meine Brust. »Und Sie kommen jetzt mit mir nach draußen. Sonst verdresche ich Sie gleich hier.«
»Sie wissen, wo Stephanie ist«, sagte Rachel wütend. »Sie sind ein verdammter Lügner.«
»Ich und Lomax gehen jetzt raus!« sagte Ken zu ihr. »Und wenn ich mit ihm fertig bin, lernen wir uns ein bißchen näher kennen. Ich treibe es gern mit älteren Frauen.«
»Dann nimm die hier!« entgegnete Rachel und knallte ihre Bierflasche auf die Theke.
»Wissen Ihre Schülerinnen eigentlich, wie Sie sich benehmen?« fragte ich sie, um das Thema zu wechseln.
»Ich gehe.«
»Wir gehen alle«, verbesserte Ken sie.
Rachel und ich drängten uns durch die Menge in Richtung Tür. Ken folgte uns. Rachel berührte meinen Arm.
»Sie wollen sich doch nicht wirklich prügeln, oder?«
»Nicht, wenn ich es vermeiden kann.«
Auf dem Parkplatz vor der Bar nahm Ken sofort Angriffshaltung ein. Er schien wild entschlossen, mir den Garaus zu machen. Ich

legte einen Arm um Rachel und streckte die andere Hand abwehrend aus.
»Augenblick mal, ja? Lassen Sie wenigstens die Lady gehen. Ich schlage vor, wir beide suchen uns ein ruhigeres Plätzchen. Hier stehen wir praktisch auf dem Präsentierteller für die nächste Polzeistreife.« Ich gab Rachel meine Wagenschlüssel. »Warten Sie im Auto. Es dauert nicht lange.«
»Okay, Lomax! Kommen Sie mit!« Kens Atem kondensierte zu weißen Wölkchen in der kalten Nachtluft.
Rachel lief zum Wagen.
Ich folgte Ken in sicherem Abstand zwischen den Parkreihen hindurch zur Seitenmauer des Gebäudes.
Unter einer Hoflampe an der Hausecke blieb Ken stehen und drehte sich um. Er grinste. Im weißen Lichtschein der Außenbeleuchtung sahen seine Vorderzähne wie Fangzähne aus. Mit einem Aufschrei nahm er eine Karatehaltung ein und sprang auf mich zu.
Ich zog die Waffe, die ich seit meiner Fahrt nach Wray bei mir trug. Es ist eine Smith & Wesson Chief Special, eine kleine zierliche Waffe mit unverhältnismäßig großem Kaliber. Ich richtete sie auf Ken.
»Stopfen Sie sich Ihre Karatekünste sonstwohin.«
Er erstarrte und blinzelte verdutzt. »Scheiße!«
»Das Leben ist voller Überraschungen, Kenny.«
»Scheiße! Nicht schießen!« Er hob die Hände hoch.
»Wo ist Stephanie Bellano?«
»Oh, Scheiße! Erschießen Sie mich nicht.«
»Beeilung, Ken. Es ist kalt hier draußen. Mein Finger friert am Abzug fest. Wo ist sie?«
»Stephanie? Keine Ahnung. Habe ich doch schon mal gesagt.«
»Sie sind nach Wray gefahren und haben sie hierher zurückgebracht.«
»Nein. Ich schwöre es. Ich bin nie in meinem Leben in Wray gewesen.«
»Allmählich werde ich sauer, Ken.« Ich hob die Waffe. Er konnte direkt in die Mündung sehen.
»Nein! Großer Gott! Ich sage die Wahrheit. Ich weiß nicht, wo sie ist. Ich habe sie seit Mai nicht mehr gesehen. Großes Ehrenwort. Okay, wenn's um die Alimente geht, wenn sie mein Kind erwartet und Geld will, in Ordnung. Ist es das? Ich kann zahlen. Was immer sie will.«

»Dafür ist es zu spät«, entgegnete ich.
Ich schätze, er hatte mich mißverstanden. Mit einem schrillen Aufschrei drehte er sich um und rannte um sein Leben.
Ich ging zu meinem Wagen.
Rachel hatte sämtliche Türen verriegelt. Der Motor lief. Sie ließ mich einsteigen. Drinnen war es warm. Ihr dezentes Parfüm verbreitete eine wohlige Atmosphäre.
»Sind Sie in Ordnung?«
»Könnte mir nicht bessergehen!« Damit fuhr ich auf den Wadsworth Boulevard hinaus.
»Sie machen ein so . . . komisches Gesicht.«
»Ich habe einen schlechten Geschmack im Mund.«
»Was . . . ist passiert?«
»Nichts.«
»Sie haben sich nicht geprügelt?«
»Nein.«
»Dem Himmel sei Dank! Und was ist mit Stephanie?«
»Ken weiß nichts«, antwortete ich. »Er hat sie seit Mai nicht gesehen.«
»Woher wollen Sie wissen, daß er nicht lügt?«
»Ich weiß es. Vertrauen Sie mir, okay?«
»Und wo ist sie?«
»Keine Ahnung. Ich brauche jetzt einen Drink. Leisten Sie mir Gesellschaft?«
»Sie brauchen einen Drink?«
»Okay, ich möchte einen Drink.«

19

Ich fuhr auf der Sixth Avenue nach Westen bis zu Simms Landing. Rachel und ich gingen durch das Restaurant, an der Bar vorbei und die wenigen Stufen in die Lounge hinunter. Mit Unmengen von dickem Tauwerk, Schiffszubehör und Messing hatte man dort versucht, die Illusion maritimer Atmosphäre zu erzeugen. Tausend Meilen vom Ozean entfernt, mußte es zwangsläufig Illusion bleiben.
Der Klavierspieler schlug angenehm dezente Töne an. Das Schönste an diesem Lokal war der Blick, der hoch über dem Westteil

Denvers über den schier endlosen Lichterteppich der Stadt hinweg bis zu den schwarzen Silhouetten der Berge reichte.
Die Bedienung brachte unsere Drinks. Ich erzählte Rachel von den vier Kunden in Bellanos Geschäft und der Möglichkeit, daß Stephanie vor einem dieser Männer davongelaufen war.
»Ich nehme die vier unter die Lupe«, schloß ich und nippte an meinem Scotch.
»Glauben Sie, Stephanie hat einen von ihnen aus Wray angerufen?« fragte Rachel.
»Möglich.«
»Das ergibt keinen Sinn«, behauptete Rachel. »Wenn sie vor einem dieser Männer davongerannt ist, warum hat sie ihn dann angerufen und sich von ihm abholen lassen?«
»Keine Ahnung. Die vier sind die einzige Spur, die ich im Augenblick habe. Stephanie weiß etwas über einen dieser Herren. Sobald ich rauskriege, was das ist, weiß ich vermutlich auch, wo sie ist.«
Eine Weile sprach keiner ein Wort. Der Schein der Kerzenflamme tanzte in Rachels Augen.
»Haben Sie einen bestimmten Verdacht?« wollte Rachel schließlich wissen. »Ich meine, was die vier angeht?«
»Im Augenblick tippe ich auf Stan Fowler. Er war der Kerl, der sich im *Lion's Lair* an Ihre beiden Schülerinnen herangemacht hatte.«
»Dieses Schwein!« Rachel ballte die Hände zu Fäusten.
»Ist gut möglich, daß er Stephanie im *Lion's Lair* kennengelernt hat, schließlich herausfand, daß sie schwanger war, und sie sexuell damit erpreßte, es ihren Eltern zu erzählen.«
»So ein Schwein!« entfuhr es Rachel angewidert. Sie trank ihr Glas zur Hälfte aus. »Wie halten Sie das nur aus?«
»Was?«
»Diesen Beruf.«
»Er hält mich über Wasser.«
Rachel verzog keine Miene. »Haben Sie mal einen anderen Beruf in Erwägung gezogen?«
»Sicher doch.«
»Welchen?«
»Den des Astronauten.«
»Ich meinte das ernst.«
»Ich auch. Die Bezahlung ist gut, die Aussicht ist sensationell, und man muß nur ein paar Tage im Jahr arbeiten.«
»Sehr komisch!«

»Was ist mit Ihnen, Rachel? Wollten Sie immer Lehrerin werden?«
»Nein.«
»Was dann?«
»Ernsthaft?«
»Ernsthaft.«
»Astronautin.«
»Na, bitte.«
Sie lächelte. »Wie ist es gekommen, daß Sie Privatdetektiv wurden?«
»Ich war Polizist. Irgendwie hat es sich so ergeben.«
»Sie waren Polizist? Ich kann Sie mir in Uniform gar nicht vorstellen.«
»Machen Sie Witze? Ich habe umwerfend ausgesehen.«
»Da bin ich sicher. Warum sind Sie Polzist geworden?« bohrte sie weiter.
»Hm, vielleicht wollte ich helfen.«
»Helfen? Wem?«
»Keine Ahnung. Einfach nur helfen.«
»Warum sind Sie dann kein Polizist mehr?«
»Ich habe mich verändert.«
»Nicht ganz«, widersprach sie. »Soviel ist mir klar.«
»Inwiefern?«
»Helfen wollen Sie immer noch.«
»Vermutlich. Aber die Illusionen sind verpufft.«
Rachels Lächeln hatte sich längst verflüchtigt.
»Die anderen drei Männer aus dem Friseurladen«, begann sie schließlich, »sind die auch so schwierig wie Fowler?«
»Jeder ist eine Nummer für sich«, antwortete ich. »Johnny Toes Burke ist vermutlich der schlimmste Finger.«
»Aha.«
»Johnny Toes arbeitet für einen Gangster, der durchaus Grund hatte, Joseph Bellano umzubringen. Würde mich nicht wundern, wenn Johnny Toes beim Bombenattentat seine Hände im Spiel hatte. Dann ist da Gary Rivers. Ich glaube, für seine Karriere tut der alles. Er hat mir seine Hilfe bei der Suche nach Stephanie praktisch aufgedrängt.«
»Er hat was?«
»Sich aufgedrängt. Ich habe den Verdacht, er braucht Material für sein nächstes Special im Fernsehen.«
»Zum Kotzen«, sagte Rachel.

»Der vierte Mann, Mitch Overholser, ist der einzige, mit dem ich nicht gesprochen habe. Vielleicht tu ich's morgen.«
Rachel runzelte die Stirn und spielte mit ihrem Glas. »Wenn Stephanie in Denver ist«, sagte sie plötzlich, »muß sie doch mittlerweile wissen, daß ihr Vater tot ist.«
»Stimmt.«
»Warum ist sie dann nicht nach Hause gekommen? Oder hat sich wenigstens bei ihrer Mutter gemeldet?«
»Genau das macht mir auch Sorgen. Ich kann mir nur zwei Gründe denken. Beide sind wenig ermutigend.«
Rackel nickte. »Entweder sie will nicht, oder sie kann nicht.«
Wir tranken unsere Gläser aus. Ich fuhr Rachel nach Hause und brachte sie bis zur Tür. Ich hoffte, sie würde mich noch auf einen Kaffee hineinbitten.
»Danke für den Drink«, sagte sie.
»War mir ein Vergnügen.«
»Rufen Sie mich an, ja? Sobald Sie was von Stephanie erfahren. Oder ...«
»Ja?«
»Oder wenn ich helfen kann.«
»Sicher.«
Ich fuhr nach Hause.

Am Freitagmorgen war der Himmel blau, und es war um ein paar Grad wärmer geworden. Für meine Fahrt nach West Colfax, vorbei an Motels und Restaurants, zum Gewerbegebiet der Neu- und Gebrauchtwagenhändler, war eine Sonnenbrille unerläßlich.
»Harry – Der Ehrliche Gebrauchtwagenpartner« hatte ein schuhschachtelgroßes Büro mit einem spitzen grünen Dach und ungefähr vierzig Gebrauchtwagen zu bieten. Der einzige Verkäufer wies gerade einen Jungen an, den Schnee von den Wagen zu kehren, als er mich sah, kam er auf mich zu.
»Zeit, sich von der alten Kiste zu trennen, was?« begann er und deutete auf meinen türkis- und weißgestreiften grundüberholten Olds 98, mit V-8-Maschine und vielen Extras; Stolz und Freude meiner alten Tage.
»Danke nein«, entgegnete ich. »Ich suche Mitch Oberholser.«
»Er steht vor Ihnen.«
Oberholser war Ende Dreißig, hatte schütteres braunes Haar, ein fliehendes Kinn, hängende Schultern, und trug eine Hornbrille.

Außerdem hatte er offensichtlich erst kürzlich Gewicht verloren. Sein teurer Mantel war mindestens eine Nummer zu groß.
»Ich wollte mit Ihnen über Stephanie Bellano sprechen.«
»Über wen?«
»Joseph Bellanos Tochter.«
Overholser musterte mich angestrengt. »Sind Sie von der Polzei?«
»Privatdetektiv. Joseph hat mich engagiert.«
»Mann, das mit Joe ...! Fliegt glatt mit dem eigenen Wagen in die Luft!« Er kicherte verlegen, als habe Joe Bellano eine Ferienreise angetreten.
»Warum gehen wir nicht rein und unterhalten uns?«
»Lieber nicht«, wehrte er ab. »Drinnen sitzt mein Schwager Harry. Er zählt sein Geld und paßt auf, daß ich für ihn noch mehr verdiene.«
»Dann setzen wir uns in einen Wagen. Mir ist kalt.«
Wir nahmen in einem großen weißen Lincoln Platz. Overholser ließ den Motor an und schaltete die Standheizung ein.
»Sie waren an dem Tag in Bellanos Friseurladen, als seine Tochter verschwunden ist«, begann ich.
»War ich das?« Er rieb sich die Hände. Er trug einen Ehering am Mittelfinger.
»Heute vor zwei Wochen«, fuhr ich fort. »Sie stürmte in den Laden, machte ihrem Vater eine Szene und ist dann entsetzt davongelaufen.«
»Klar, jetzt erinnere ich mich.« Er legte die Hände aufs Lenkrad. »Na und?«
»Sie ist noch nicht wieder aufgetaucht.«
»Und was hat das mit mir zu tun?«
»Genau das möchte ich von Ihnen wissen?«
»Ich verstehe nicht recht«, sagte er emotionslos.
Ich beobachtete ihn aufmerksam.
»Warum hat Stephanie Angst vor Ihnen?«
»Wie bitte?« Er drehte sich zu mir um. »Angst vor mir? Machen Sie Witze? Ich bin Familienvater! Das heißt, meine Frau hat die Kinder mitgenommen. Trotzdem, ich habe eine Tochter, die ist so alt wie Stephanie.«
»Woher wissen Sie, wie alt Stephanie ist?«
Er blinzelte. »Schlau kombiniert. Also gut. Ich kenne Stephanie. Sie und meine Tochter waren in der High-School-Freundinnen. Stephanie ist oft bei uns gewesen.«

»Ist sie jetzt auch bei Ihnen?«
»Bei mir? Nein, zum Teufel. Worauf wollen Sie raus?«
»Was glauben Sie?«
»Hören Sie, ich weiß nichts über Stephanie. Sie ist weggelaufen. Das ist alles. Joe hat mich einen Tag nach der Szene im Friseurladen angerufen. Genau wie meine Frau, meine Ex-Frau. Wir hatten sie beide nicht gesehen. Mehr ist nicht zu sagen.«
Ich neigte dazu, ihm zu glauben. Dann fiel mir ein, daß er mit Gebrauchtwagen handelte.
»Was können Sie mir über die anderen Herren sagen, die an jenem Tag in Bellanos Laden gewesen sind?«
»Wer soll da gewesen sein?«
»Stan Fowler zum Beispiel.«
»Nie gehört.«
»Gary Rivers.«
»Nie gehö . . . Moment, der Fernsehfritze? Der war dort?«
»Haben Sie ihn nicht erkannt?« fragte ich.
»Schätze nein.«
»Was ist mit Johnny Toes Burke?«
»Was soll mit ihm sein?« Oberholsers Stimme klang plötzlich schneidend.
»Kennen Sie ihn?«
»Ich weiß, wer er ist. Hatte mal Schulden bei seinem Boss.« Seine Kinnmuskeln arbeiteten. »Einmal und nie wieder!« sagte er.
»In diesem Fall verstehe ich Ihre Verzweiflung.«
»Verzweiflung?«
»Na, angesichts der Möglichkeit, daß Bellano Ihre Schuldscheine an Burkes Boss verkauft haben könnte. An Fat Paulie DaNucci.«
»Welche Schuldscheine? Wovon reden Sie?«
»Als Bellano starb, standen Sie mit sechsundvierzigtausend Dollar bei ihm in der Kreide.«
Overholser preßte die Lippen aufeinander.
»Wer hat Ihnen das gesagt?«
»Ich habe Bellanos Bücher eingesehen.«
»Unmöglich. Die hätte er nie jemandem gezeigt.«
»Ich habe eine Kopie.«
»Blödsinn!« behauptete Overholser selbstzufrieden. »Die Polizei hat die einzige Kopie beschlagnahmt. Und die wurde zerstört.«
»Woher wissen Sie das?«
»Weil . . .« Er verstummte.

»Die Polizei hat das für sich behalten, Mitch. Wie sind Sie draufgekommen?«
Er schwieg.
»Oder hatten Sie was damit zu tun?«
Overholser schüttelte den Kopf. »Die Unterlagen gibt's nicht mehr.«
»Wirklich nicht, Mitch? In zehn Sekunden zaubere ich sie Ihnen her.«
Es dauerte nicht einmal so lange, bis ich die Computerauszüge aus meiner Jackettasche gezogen und die Seite mit Overholsers Namen aufgeschlagen hatte. Die Wirkung war erstaunlich. Overholser fiel das Kinn auf die Brust. Er griff nach dem Blatt. Ich klopfte ihm unsanft auf die Finger.
»Vielleicht gebe ich das Fat Paulie«, erklärte ich. »Er kann mit Angela Bellano teilen, was aus Ihnen rauszuquetschen ist.«
Ich öffnete den Wagenschlag.
»Warten Sie!«
Er legte die Hand auf meinen Arm. Ich schüttelte sie ab. Ich stieg aus. Er folgte mir. Wir sahen uns über das Autodach hinweg an.
»Ich kaufe Ihnen das ab«, schlug er hastig vor. »Geben Sie es nicht Fat Paulie.«
»Abkaufen? Womit, Mitch?«
»Ich zahle, was er bezahlen würde. Zehn Prozent? Also gut, zwanzig. Das wären ungefähr . . .«
»Ich will kein Geld.«
»Was dann?«
»Wo ist Stephanie Bellano?«
»Keine Ahnung. Ich schwöre es.«
»Warum ist sie aus dem Laden des Vaters weggerannt, Mitch?«
»Das weiß ich nicht . . .«
»Vor wem hatte sie Angst?«
»Keine Ahnung. Wie oft soll ich das noch . . .«
Ich glaubte ihm. Das bedeutete, daß er mir nichts mehr nützen konnte. Bis auf . . .
»Wer hat Bellanos Disketten zerstört?«
»Ich . . . weiß es nicht.«
»Na gut. Wollen Sie, daß Fat Paulie das kriegt?« Ich hielt die Computerauszüge hoch.
»Herrgott, nein! Ich kriege das Geld zusammen. Sechsundvierzigtausend. Ich brauche nur Zeit.«

»Sagen Sie das Paulie.« Ich wandte mich zum Gehen.
»Nein, warten Sie!«
Ich machte ein paar Schritte.
»Isenglass«, sagte er plötzlich.
Ich drehte mich zu ihm um.
»Er heißt Isenglass. Er arbeitet bei den Bullen im Archiv. Ich habe ihn bestochen, damit er Bellanos Disketten zerstört.«
»Warum?«
»Meine Schuldscheine sollte niemand kriegen.«
»Ich verstehe.« Ich drehte mich wieder um.
»Warten Sie. Was ist mit meinen Computerauszügen?«
»Oh, vielleicht zerreiße ich sie.«
»Vielleicht? Aber Sie haben gesagt . . .«
»Weil ich ziemlich wütend auf Sie bin, Mitch.«
»Warum? Was habe ich getan?«
»Sie haben meinen Wagen eine alte Kiste genannt.«

20

Ich fuhr nach Colfax, spielte mit dem Gedanken, in meinem Büro vorbeizuschauen und landete schließlich zu Hause.
Ganz oben auf meiner Telefonliste stand Lieutenant McArthur. Noch vor Gary Rivers' Sekretärin und Stan Fowlers Frau.
Ich fragte McArthur ohne Umschweife, ob sie herausgefunden hätten, wer Bellanos Disketten zerstört habe.
»Wir haben zwei Verdächtige. Beide arbeiten im Archiv. Beide haben Angst, beteuern ihre Unschuld und verweigern auf Anraten ihrer Anwälte jede Aussage.«
»Heißt einer eurer Verwaltungsangestellten Isenglass?«
McArthur sagte einen Moment nichts. »Warum fragst du?«
Ich erzählte ihm von Mitch Overholser und wo er ihn finden konnte.
»Jetzt mal was anderes. Habt Ihr irgendwelche Hinweise, wo Stephanie Bel . . .«
»Was?« sagte er am anderen Ende zu jemandem. »Tut mir leid, Jake. Ich muß los. Danke für die Information.«
Damit legte er auf.
Ich wählte die Nummer des Fernsehsenders. Ich hatte einige Fra-

gen an Gary Rivers' Sekretärin. Bevor ich durchkam, klopfte es an meiner Tür.
Im Korridor standen zwei Männer. Der mit der Pistole war Johnny Toes Burke. Den anderen kannte ich nicht. Er sah aus, als sei er bei den Gorillas im Regenwald aufgewachsen.
»Dürfen wir reinkommen?« fragte Johnny Toes. Die Mündung seines häßlichen schwarzen Revolvers deutete auf meinen Magen.
Ich trat von der Tür zurück.
Sie kamen herein. Der große Kerl schloß die Tür ab. Auch unbewaffnet, flößte er mir mehr Angst ein als Johnny Toes Burke. Unter seinem Mantel hätte mein Olds Platz gehabt.
»Wollen Sie mir Ihre Begleiterin nicht vorstellen?« fragte ich Johnny Toes.
Dem Gorilla gefiel das nicht. Für seine Gewichtsklasse bewegte er sich erstaunlich schnell. Er versetzte mir mit der flachen Hand einen Stoß, daß ich auf der Couch landete.
»Wie Sie sehen, versteht Bruno keinen Spaß«, bemerkte Johnny Toes.
»Hat seine Mutter ihn Bruno getauft?«
»Ich mein's ernst, Lomax. Lassen Sie die Faxen. Geben Sie uns das Zeug und Sie sind aus dem Schneider.« Johnny Toes war sichtlich nervös.
»Geben? Was geben?«
»Bellanos Computerauszüge«, antwortete Bruno. Seine Stimme hatte den Klang eines Dieselmotors.
»Wie kommen Sie darauf, daß ich die habe?«
»Das hat uns ein kleines Vögelchen geflüstert«, dröhnte Bruno.
Mein erster Gedanke galt Mitch Overholser. Möglicherweise hatte er Johnny Toes angerufen und einen Handel mit ihm abgeschlossen.
»Sie hat gesagt, daß Sie eine Kopie gezogen haben«, bemerkte Johnny Toes.
»Sie?«
»Angela Bellano. Wir sind gestern bei ihr gewesen und haben ihr ein paar Dienstmarken unter die Nase gehalten. Sie hat uns Joes Arbeitszimmer durchsuchen lassen . . . und von Ihnen und Ihrer Freundin Zeno erzählt. Gestern abend hatten wir ein Gespräch mit Zeno. Sie hat uns die Polizistennummer nicht abgekauft und war nicht sehr kooperativ. Wenigstens am Anfang nicht. Aber dann . . .«

Ich stand auf.
»Was haben Sie mit ihr gemacht?«
Johnny Toes trat zurück und richtete die Waffe auf mein Gesicht. Bruno bewegte sich nicht.
»Wir haben ihr nur ein bißchen Angst eingejagt«, erwiderte Johnny Toes. Sie hat uns das mit den Disketten erzählt. Wir wissen, daß Sie die einzige Kopie haben.«
»Was ist so wichtig an diesen Unterlagen?«
»Was glauben Sie? Bellanos Außenstände sind so gut wie bares Geld. Man muß es nur noch eintreiben. Vorausgesetzt man hat die nötigen Leute. Und jetzt her mit dem Zeug.«
»Okay, tauschen wir.«
»Sie sind nicht in der Lage, zu handeln, Lomax.«
»Tauschen? Wofür?« fragte Bruno.
»Aha. Wenigstens einer, der Geschäftsmann ist. Ich tausche die Unterlagen gegen Stephanie Bellano.«
»Die schon wieder?« seufzte Johnny Toes. »Ich weiß nichts von der Tussie. Habe ich schon mal gesagt.«
»Wo ist sie?«
Johnny Toes wandte sich an Bruno: »Seine Platte hat 'nen Sprung.«
»Weißt du, wo die kleine Bellano ist?« fragte Bruno Johnny ungerührt.
»Jetzt fängst du auch noch damit an!«
»Weißt du's?«
»Nein, verdammte Schei . . .«
»Er weiß es nicht«, wandte Bruno sich an mich. Er hatte wohl recht.
»Geben Sie uns die Computerlisten.«
»Klar doch.«
Ich ging an Bruno vorbei zur Küche. Bruno riß mich an der Schulter unsanft zurück, bevor ich den Tisch erreicht hatte, auf dem das Halfter mit meiner Achtunddreißiger lag. Daneben hing mein Mantel über einem Stuhl. Was von Bellanos Computerlisten übrig war, steckte in der Tasche.
»Draußen«, verkündete ich.
Bruno griff nach meiner Waffe, leerte das Magzin, steckte die Munition ein und warf meine Pistole ins Spülbecken.
»Sie gehen voraus!« befahl er.
Ich führte sie auf den tief verschneiten Balkon. Ich mußte durch eine dicke Schneedecke graben, bis ich matschige, nasse Aschereste zutage fördern konnte.

»Da habt ihr sie«, erklärte ich und hielt ihnen die schwarze Pampe unter die Nasen.
Johnny Toe wirkte verwirrt. Bruno war verärgert.
»Ich hab' sie verbrannt«, sagte ich.
»Was?«
»Waren nutzlos für mich. Zuerst dachte ich, sie würden mich zu Stephanie führen, aber das war ein Irrtum. Also habe ich das Zeug angezündet.«
»Sie lügen!«
Johnny Toes Finger am Abzug war verräterisch weiß geworden. Ich konnte nur hoffen, daß er es aus Angst vor unliebsamen Zeugen unterlassen würde, mich gleich auf dem Balkon zu erschießen.
»Rein mit Ihnen!« zischte Johnny Toes.
Ich machte die Tür hinter mir zu und lud sie ein, meine Wohnung zu durchsuchen.
»Ihr könnt auch gern einen Blick in meinen Safe werfen«, schlug ich vor.
»Wo ist er?«
»Im Schlafzimmerschrank.«
Bruno machte sich auf ins Schlafzimmer. Johnny Toe leistete mir in der Küche Gesellschaft.
Kurz darauf kam Bruno zurück. »Der Safe ist da. Verschlossen. Machen Sie ihn auf!«
Ich ging bereitwillig voraus ins Schlafzimmer. Im Safe lag meine Zweitwaffe.
Die beiden folgten mir. Bruno hatte einige Kleidungsstücke aus dem Schrank gerissen und auf den Boden geworfen. Den Tresor, ein viereckiges, zwei Zentner schweres Monstrum hätte Bruno vermutlich mit Leichtigkeit unter dem Arm aus dem Haus getragen. Ich kniete davor nieder und stellte die Kombination ein. Dann öffnete ich die Tür und griff hinein.
Bruno packte mich am Kragen und schleuderte mich zur Seite. Dann kniete er vor dem Safe nieder, während Johnny Toe mich mit der Waffe in Schach hielt.
»Na, was haben wir denn da ...«
Bruno nahm die Magnum Kaliber 9 mm heraus, leerte das Magazin in seine Hand und steckte die Munition ein. Die Waffe warf er unters Bett. Vermutlich hob er sich die Patronen für einen Imbiß zwischendurch auf.
»... und circa tausend Piepen in einem Umschlag, plus Versiche-

rungspolicen und Kraftfahrzeugschein seines Autos.« Er sah mich an. »Und für diesen Schrott brauchen Sie einen Safe?«
»Man kann nie vorsichtig genug sein.«
»Wo sind Bellanos Computerlisten?« insistierte Johnny Toes und drückte mir den Lauf seiner Waffe in den Rücken.
»Er hat sie nicht«, sagte Bruno, stand auf und stopfte sich mein Geld in die Tasche. »Sonst hätten sie im Safe gelegen.«
Bruno ging zur Tür.
»Vielleicht hat er sie irgendwo versteckt«, beharrte Johnny Toes. »Wir sollten auf Nummer sicher gehen. Warum machen wir's mit ihm nicht wie mit den beiden anderen?«
Bruno drehte sich um und sah auf Toes herab. Der wußte nicht, ob er die Waffe auf mich oder auf Bruno richten sollte. Er schluckte.
»Okay, wenn du auf Nummer sicher gehen willst«, sagte Bruno schließlich. »Kommen Sie her!« forderte er mich auf.
Ich hatte kaum eine Wahl. Ich ging zu ihm.
»Drehen Sie sich um.«
Ich drehte mich um und sah Johnny Toes an. Bruno versetzte mir einen Nierenschlag. Ich sackte in die Knie und schnappte erst einmal nach Luft.
»Hatten Sie Bellanos Computerlisten?«
»Ja«, antwortete ich mühsam.
Bruno zog mich am Kragen auf die Beine.
»Und wo sind sie jetzt?« erkundigte er sich höflich.
»Ich habe sie verbrannt.«
Er schlug erneut zu. Ich kippte vornüber und landete unsanft auf allen vieren.
»Sie haben was?«
»Verbrannt!« war alles, was ich herausbekam. Der nächste Schlag war praktisch Leichenschändung.
»Großer Gott!« hörte ich Johnny Toes sagen.
Ich hätte beinahe auf seine eleganten italienischen Schuhe gekotzt. Es hörte sich so an, als kämpfe auch Johnny Toes mit Übelkeit.
»Zufrieden?« fragte Bruno Johnny Toes.
»Herrgott, ja. Nichts wie raus hier!«
Die Tür fiel hinter den beiden ins Schloß. Ich rappelte mich mühsam auf und schaffte es gerade noch ins Badezimmer, bevor ich mich übergeben mußte. Ich fühlte mich nur unwesentlich schlechter als nach meiner Behandlung durch Ken Hausom auf dem Parkplatz hinter dem *Lion's Lair*.

Ich betätigte die Toilettenspülung. Dann stützte ich mich mit einer Hand aufs Waschbecken, spritzte mir mit der anderen kaltes Wasser ins Gesicht und spülte den Mund aus.
Ich schleppte mich in die Küche. Mein Rücken fühlte sich an, als sei ich unter den Bus gekommen. Ich schloß Bellanos Unterlagen in den Safe.
Dann holte ich die Magnum unter dem Bett hervor. Anschließend rief ich MicroComp an. Milton hob ab. Er sagte, Zeno liege krank zu Hause. Er klang wütend und erregt.
»Lassen Sie sie in Ruhe!« schimpfte er.
Ich fuhr zu Zenos Wohnung. Bei jedem Tritt aufs Bremspedal durchfuhr mich ein lähmender Schmerz.
Zeno meldete sich erst durch die Gegensprechanlage, nachdem ich Sturm geklingelt hatte.
»Wer ... wer ist da?« Ihre Stimme klang schwach und ängstlich.
»Zeno, ich bin's. Jake.«
»Was ... was willst du?«
»Ist mit dir alles in Ordnung?«
»Geh weg. Bitte!«
»Laß mich rein, Zeno!«
»Bist ... bist du allein?«
»Ja. Bin ich.«
Der Türöffner summte. Ich ging ins Haus, fuhr mit dem Lift hinauf und klopfte an Zenos Tür. Sie öffnete bei vorgelegter Kette. Dann ließ sie mich herein.
Zeno trug einen abgewetzten Morgenmantel und Pantoffeln. Ihre Augen waren geschwollen. Das Haar war zerzaust, als käme sie aus dem Bett.
»Zeno, was ist passiert?« fragte ich.
Sie verschränkte die Arme vor der Brust. Eine Träne rann über die rechte Wange.
»Oh, Gott, Jake!« Sie preßte ihr Gesicht gegen meine Brust und begann zu schluchzen. Ihr schmaler Körper wurde von Schluchzen geschüttelt. Nach ein paar Minuten ließ Zeno von mir ab und trocknete sich mit dem Stoffgürtel ihres Morgenmantels die Augen.
»Ich ... ich dachte, die bringen uns um.«
»Johnny Toes Burke und Bruno.«
»Sie haben sich nicht vorgestellt. Der eine war hager und klein. Der andere war ein Gorilla.«

»Was haben Sie gemacht?«
Sie schauderte.
»Gestern abend sind sie hier aufgekreuzt«, berichtete sie. »Milton und ich haben gerade ferngesehen. Keine Ahnung, wie sie ins Haus gekommen sind. Sie haben unten nicht geklingelt. Sie standen direkt vor der Wohnungstür. Ich habe aufgemacht. Sie wurden sofort handgreiflich. Milton hat einiges abgekriegt. Er hat geblutet. Ich ... ich kann ihm nicht mehr in die Augen sehen.«
»Du kannst nichts dafür, Zeno.« Der Schuldige war ich.
»Sie wollten die Kopie von Bellanos Disketten. Und sie haben gedroht, uns umzubringen, wenn wir sie nicht rausrückten. Sie hatten bereits mit Angela Bellano und den Leuten bei Micro Comp gesprochen. Sie wußten, daß wir beide eine Kopie gezogen hatten. Wie hätte ich da noch lügen sollen? Also habe ich ihnen gesagt, daß ich dir die Ausdrucke gegeben und die Daten auf der Diskette gelöscht hatte. Sie haben mir nicht geglaubt. Da hat ...«
»Was?«
»Der große Kerl hat uns gefesselt, auf die Couch gesetzt und uns mit Benzin übergossen ... und ein Feuerzeug angezündet ...«
Ich zog scharf die Luft ein. Der merkwürdige Geruch in der Wohnung war mir sofort aufgefallen. »Oh, Jake, er hätte uns verbrannt! Ohne mit der Wimper zu zucken. Das habe ich ihm angesehen. Der andere, der Kleine, hat es auch mit der Angst zu tun gekriegt. Milton hat geweint und gebettelt. Ich ... ich glaube, das hat sie überzeugt. Sie haben uns losgebunden und sind verschwunden.«
»Hast du die Polizei verständigt?« fragte ich erstaunlich ruhig.
Zeno schüttelte den Kopf. »Jake, ich habe Angst, die Tür zu öffnen. Die beiden ... wenn sie zurückkommen ...«
»Die belästigen euch nicht wieder, Zeno. Nie wieder.«
Sie blieb skeptisch. »Und Milton ... er will mich nicht wiedersehen.«
»Hat er das gesagt?«
»Nein, aber ...«
»He, Zeno, der Mann liebt dich wirklich.«
Ich ging in die Küche, nahm das Telefon ab und rief Micro Comp an. Ich sagte Milton, daß Zeno ihn unbedingt sprechen müsse, und schlug ihm vor, sich freizunehmen und in Zenos Wohnung zu kommen. Dann legte ich auf.
»Er kommt«, sagte ich.

Sie lächelte müde und küßte mich auf die Wange.
Ich ging.

21

Von Zeno aus fuhr ich direkt zu Johnny Toes Apartment. Ich ließ mir Zeit; Zeit, um mich etwas zu beruhigen.
Johnny Toes wohnte in einem piekfeinen Apartmentkomplex. Jeder Schritt auf der Treppe schmerzte. Ich schaffte es trotzdem in den zweiten Stock. Dort ging ich den Außenbalkon entlang bis zu Johnny Toes Wohnungstür.
Sobald ich den Fuß hob, durchzuckte mich ein stechender Schmerz, doch ich achtete nicht darauf. Ich trat die Tür ein. Die Wohnung erinnerte an ein orientalisches Puff. An den Wänden hingen erotische Bilder, und große Seidenkissen lagen auf dem Fußboden. Der Geruch von Marihuana hing in der Luft. Ich stellte die Wohnung gründlich auf den Kopf. Johnny Toes war nicht zu Hause.
Ich setzte mich wieder in meinen Wagen und fuhr zu Terry's Bar. Dort hatte man Johnny Toes seit Tagen nicht gesehen. Niemand kannte einen Schläger namens Bruno. Eine Tour durch weitere Bars brachte das gleiche Ergebnis ... kein Johnny Toes.
Der Gedanke an Fat Paulie DaNucci drängte sich auf. Wenn Johnny Toes für DaNucci arbeitete, dann hatte er Zeno und Milton in seinem Auftrag terrorisiert. DaNucci war derjenige, der Bellanos Computerlisten haben wollte. Und DaNucci war vermutlich auch für die Bombe verantwortlich, die Bellano getötet hatte. Sollte DaNucci der Mann gewesen sein, den Stephanie angerufen hatte?
Ich beschloß, mich nicht länger mit kleinen Fischen abzugeben, sondern mich an den Mann ganz oben zu halten.

Es war Samstagmorgen, halb drei Uhr.
Ich stand einsam mit ein paar Mülltonnen im Dunkeln. Meine Schuhspitzen berührten fast den gelben Lichtkreis, den die Lampe über dem Hintereingang von Giancio's Italienischem Restaurant auf den Asphalt warf. Finger und Zehen schmerzten vor Kälte. Ich trat von einem Bein auf das andere und klatschte in die Hände. Das wiederum schreckte meine Nieren auf, die seit Brunos Sonderbehandlung noch immer erholungsbedürftig waren.

Meine Nachforschungen hatten ergeben, daß Fat Paulie DaNucci viel Zeit in diesem Restaurant verbrachte. Der Laden machte um zehn Uhr dicht, und die Pokerrunden begannen um halb elf: nur DaNucci und ein paar Freunde. Normalerweise machten sie um zwei Uhr Schluß. Da hatten sie wohl ihr tägliches Pensum an Zigarren, Sambuca und Stud Poker absolviert und waren bettreif.
Als ich vor etwa einer Stunde gekommen war, hatten fünf Autos auf dem Parkplatz gestanden. Mittlerweile war einer nach dem anderen abgefahren ... bis auf eine Limousine: Fat Paulie DaNuccis glänzender schwarzer Cadillac.
Plötzlich ging die Hintertür auf. Zwei Männer traten heraus. Der eine war groß und schlank; der andere war groß und dick. Beide trugen dunkle Tuchmäntel. Der Dicke hatte einen Hut auf.
»Heilige Mutter Gottes, ist das kalt«, sagte er.
»Warten Sie doch drinnen, Mr. DaNucci. Ich laß erst mal die Autoheizung laufen.«
»Vergiß es, Vinny. Gehen wir!«
Sie liefen auf den Caddy zu. Ich trat hinter dem Dicken aus dem Lichtschatten. Er machte eine halbe Drehung, aber ich drückte ihm den Lauf meiner Magnum ans Ohr.
»He ...«
»Keine Bewegung, Paulie!«
Vinny war bereits herumgewirbelt, hatte seine Waffe gezogen und auf uns gerichtet. Ich hatte Fat Paulie als Deckung.
»Paulie sagen Sie ihm, er soll die Waffe fallen lassen. Oder wollen Sie gleich auf einem Ohr taub sein?«
»Laß ihn in Ruhe, Arschloch!« zischte Vinny.
»Ganz ruhig, Vinny. Dieses Stück Scheiße will nur mein Geld? Habe ich nicht recht, Arschloch?« Paulie klang keinesfalls ängstlich. Er klang gereizt. »Es steckt in meiner Hosentasche, Arschloch. Soll ich es rausholen? Oder sind Sie eine Tunte und gehen mir gern ein bißchen an die Wäsche?«
»Steigen Sie in den Wagen.«
»Wozu?«
»Wir wollen uns unterhalten.«
»Worüber?«
»Bewegung, Paulie!«
»Lassen Sie sich fallen, Mr. DaNucci! Ich kauf mir das Arschloch!«
»Steck das Ding weg, Vinny«, befahl Fat Paulie. »Du hast was vergessen.«

Vinny runzelte die Stirn.
»Stimmt's, Vinny?«
»Okay, ja.« Vinny steckte die Waffe ein.
»Richtig so«, seufzte Fat Paulie.
Ich mußte irgend etwas überhört oder übersehen haben. Das gefiel mir nicht. Wir stiegen in den Wagen. Vinny zwängte sich hinter das Steuer, Fat Paulie und ich nahmen auf dem Rücksitz Platz.
»Immer die Hände hübsch am Steuer lassen«, befahl ich Vinny.
»Wenn du auch nur einen Blick nach hinten riskierst, puste ich deinen Boss weg. Laß den Motor an!«
»Jetzt, Mr. DaNucci?«
»Noch nicht.«
Die beiden wußten etwas, das ich nicht wußte. Allmählich machte mich das nervös.
»Hören wir uns erst mal an, was das Arschloch zu sagen hat. Laß den Motor an.«
Vinny schaltete die Zündung ein. »Wohin fahren wir?«
»Egal«, sagte ich. »Hauptsache, du fährst.«
»Nimm die Schnellstraße«, wies Fat Paulie ihn an.
Dann lehnte er sich in die Polster zurück, lächelte zufrieden, wie der Papst auf Weltreise. Paulie sah aus wie ein dicker fetter Cherub. Er war ein Buchmacher und Kredithai, ein Gangster und Schurke und was man ihm noch zur Last legen wollte. Eines allerdings hatte er mit dem Papst gemeinsam: er war nicht vorbestraft.
Vinny bog auf die Thirty-eight Avenue ab und fuhr in Richtung Ausfallstraße. Es herrschte kaum Verkehr. Ein Streifenwagen kam uns entgegen. Hinter den getönten Scheiben des Caddy waren wir für die Polizisten unsichtbar.
»Also, bringen wir's hinter uns. Meine Frau wartet. Worüber wollen Sie reden, Arschloch?«
»Darüber, ob ich Sie erschießen soll oder nicht.«
»Was?« Fat Paulie wirkte erstaunt und wütend, aber sicher nicht verängstigt. »Ich kenne Sie nicht mal. Für wen arbeiten Sie?«
»Im Augenblick arbeite ich auf eigene Rechnung«, erwiderte ich.
»Wo liegt Ihr Problem?«
Vinny steuerte den Caddy unter der Eisenbahnbrücke hindurch und die Auffahrt zur I-25 hinauf.
»Mein Problem, Paulie? Sie haben zwei Hohlköpfe auf meine Freunde losgelassen. Das gefällt mir nicht.«
»Hast du gehört, Vinny? Es gefällt ihm nicht.«

»Habe ich gehört, Mr. DaNucci. Soll ich jetzt?«
»Noch nicht, Vinny.«
»Niemals, Vinny«, erklärte ich. »Wenn du auch nur einmal das Steuer losläßt, kannst du das Gehirn von deinem Boss von den Fenstern kratzen.«
»Also, wer sind diese Freunde?« wollte Fat DaNucci im Plauderton wissen.
»Eunice Zenkowski und ihr Freund Milton.«
Fat Paulie zuckte die Achseln. »Nie gehört.«
»Vielleicht kennen Sie ihre Namen nicht. Aber Sie wissen, wer sie sind. Sie haben Johnny Toes Burke dorthin geschickt ...«
»Johnny Toes? Ha! Der kleine Scheißer arbeitet nicht mehr für mich. Ich habe ihn rausgeworfen. Er hat Drogen an Kinder verkauft. Für Geld tut er alles. Wie lange ist das her, Vinny? Ungefähr ein Jahr?«
»Mindestens ein Jahr, Mr. DaNucci.«
»Na bitte!« Fat Paulie sah mich an. »Also, noch was auf dem Herzen, Arschloch?«
»Für jemanden, dem ich jeden Augenblick den Kopf wegpusten könnte, haben Sie ein verdammt loses Mundwerk.«
Paulie schnaubte verächtlich. »Erstens erschießen Sie mich nicht. Sonst hätten Sie das schon auf dem Parkplatz getan. Zweitens sind Sie ein Idiot, wenn Sie glauben, ein solches Ding mit mir durchziehen zu können. Außerdem haben Sie sich nicht vorgestellt.«
»Gestatten: Jacob Lomax.«
»Okay, Jacob Lomax. Sie haben gehört, daß ich Ihre Freunde nicht kenne, und Johnny Toes nicht mehr für mich arbeitet. Können wir jetzt alle friedlich nach Hause und ins Bett gehen?«
»Netter Versuch, Paulie, aber ich weiß zufällig, daß Sie meinen Freunden diese beiden Clowns geschickt haben.« Das war gelogen. »Bei mir sind die Typen ja auch gewesen.«
»Hören Sie schlecht, Lomax? Was habe ich denn gerade gesagt? Okay. Moment. Eine Frage. Weshalb sollte ich einen Typ, der nicht mehr für mich arbeitet, zu Leuten schicken, die ich nicht kenne? Würde mich interessieren.«
»Um an Joseph Bellanos Bücher zu kommen.«
»Bücher? Welche Bücher?«
»Seine Geschäftsunterlagen als Buchmacher. Vor allem die Aufstellung seiner Außenstände.«
»Soll das ein Witz sein? Im Augenblick habe ich genug Probleme mit meinen eigenen Geschäftsunterlagen und einem bevorstehen-

den Prozeß. Weshalb sollte ich mir noch die Bücher eines anderen aufhalsen?«
»Sie sind 'ne Menge wert«, entgegnete ich. DaNucci hatte mich verunsichert.
»Vielleicht sind sie für einen kleinen Scheißer wie Johnny Toes Geld wert. Aber nicht für mich. Für mich wären sie nur ein Klotz am Bein.«
Ich begann ihm zu glauben.
»Soll das heißen, Johnny Toes hat das auf eigene Rechnung gemacht?«
»Das soll gar nichts heißen«, konterte Fat Paulie. »Sieht aber ganz so aus, was? Überrascht mich nur, daß Johnny Toes den Mumm hatte, jemanden vor die Schienbeine zu treten ... von Ihrer Schuhgröße, meine ich. Warum stecken Sie die Waffe nicht weg? Allmählich müssen Sie doch einen Muskelkrampf haben.«
Hatte ich, aber ich hielt die Magnum trotzdem auf Paulies Magengegend gerichtet.
»Johnny Toes war nicht allein«, bemerkte ich. »Ein Schläger namens Bruno hat ihm assistiert.«
»Bruno Tartalia?«
»Seinen Familiennamen habe ich nicht verstanden.«
»Ein großer häßlicher Kerl mit toten Augen?«
»Das ist er.«
»Dann haben Sie Glück gehabt, daß Sie noch leben, Jacob Lomax. Dieser Bruno ist ein unangenehmer Zeitgenosse. Besonders wenn er nicht kriegt, was er will.«
»Demnach kennen Sie ihn?«
»Klar doch. Er hat auch für mich gearbeitet. Kurzzeitig. Ich habe ihn gefeuert ... oder vielmehr gebeten, aus meinen Diensten auszuscheiden. Einen Typ wie Bruno macht man sich lieber nicht zum Feind.«
Fat Paulie DaNucci schüttelte den Kopf und seufzte. »Also, Bruno und Johnny Toes sind hinter Joe's Bücher her, was? Armer Joe!«
»Es gibt Leute, die glauben, daß Sie ihn auf dem Gewissen haben.«
Fat Paulie fuhr herum. Einen Moment dachte ich, er würde sich auf mich stürzen und hob drohend die Magnum.
»Hat man schon mal so viel Scheiße gehört?« schrie er mich an. »Joe Bellano, Gott hab ihn selig, war mein Freund!«
»Joe hat mir erzählt, daß Sie Angst hatten ... er könne gegen Sie auspacken.«

»Angst? Blödsinn! Ich wußte, daß er nie gegen mich ausgesagt hätte. Er war ein Ehrenmann. Außerdem hätte er mir im Prozeß in keinem Fall schaden können. Meine Anwälte haben das längst geklärt. Aber was geht Sie Joe Bellano an?«
»Er hat mich am Tag, bevor er ermordet wurde, beauftragt, seine Tochter zu finden.«
Fat Paulie blinzelte mehrfach.
»Wußte, daß ein Schnüffler versucht, Joes Tochter zu finden. Das sind Sie?«
»Woher wußten Sie das?«
»Man hört so dies und das«, antwortete Fat Paulie. »Stecken Sie jetzt die Waffe ein? Ich glaube, wir sind auf derselben Seite.«
»Vielleicht«, sagte ich skeptisch. »Aber ich habe einen Paulie DaNucci bedroht. Vielleicht sollte ich die Waffe zu meinem Schutz behalten.«
»Das Schießeisen würde ihm viel nützen, was Vinny?«
Vinny lachte. Fat Paulie stimmte ein.
»Was ist daran so lustig?«
»Nichts. Kehr um, Vinny.«
Vinny nahm die nächste Ausfahrt und wendete. Ich wußte mittlerweile, daß Johnny Toes und Bruno auf eigene Faust arbeiteten. Ich hatte mich durch dumme Rachegefühle ablenken lassen und Fat Paulie umsonst schikaniert. In Zukunft würde ich den Olds nach Bomben durchsuchen müssen.
»Also«, begann Fat Paulie in geradezu freundschaftlichem Ton. »Hatten Sie Glück? Ist Joes Mädchen wieder da? Wie heißt sie doch? Stephanie?«
»Von Glück kann nicht die Rede sein«, gestand ich.
»Arme Angela. Muß ja zum Verrücktwerden sein. Ich weiß, wovon ich rede. Habe drei Töchter. Aber die sind inzwischen erwachsen, haben eigene Familien.«
Ich befürchtete bereits, er würde mir Familienbilder zeigen, so jovial klang das.
So kam es, daß ich ihm von Joe Bellanos vier Kunden, von Big Pine und der religiösen Kommune bei Wray und einer möglichen Verbindung zwischen Stephanies Verschwinden und Bellanos Tod erzählte. Und ich weihte ihn in die einzige Gemeinsamkeit der Fälle ein, die ich gefunden hatte: die Tatsache, daß sowohl Stephanies Vater als auch ihr Ex-Arbeitgeber in Big Pine mit militärischen Waffen ermordet worden waren.

»Die Bullen haben die Herkunft der Bombe zurückverfolgen können. Die Landmine stammte aus einem Überfall auf ein Waffendepot im vergangenen Jahr.«
»Verdammte Scheiße!« Fat Paulie kaute auf seiner dicken Unterlippe. »Das Ding mit dem Waffendepot ...«, begann er. »Sagen wir, ich kenne einen Typ, der kennt einen Typ, der mir sagen kann, wo die Sore gelandet ist. Ist das eine Hilfe?«
»Möglicherweise.«
Fat Paulie nickte. »Wenn ich was höre, rufe ich an.«
Ich steckte die Waffe, wenn auch zögerlich, ein und zückte meine Visitenkarte.
»He, Vinny!« bemerkte er. »Der Typ hat Visitenkarten und alles Drum und Dran.«
»Bin beeindruckt«, verkündete Vinny.
Wir fuhren zu Giancio's Restaurant zurück. Ich öffnete den Wagenschlag, stieg jedoch nicht aus.
»War nicht fein von mir, Sie zu bedrohen, Paulie«, entschuldigte ich mich vorsichtshalber.
»Glaub' mir, Jacob Lomax, eine Bedrohung waren Sie keinen Moment. Hauptsache, Sie finden Angelas Tochter.«
»Richtig. Was soll das heißen, ich sei keine Bedrohung gewesen?«
»Er ist neugierig, Vinny.«
»Ist mir auch schon aufgefallen.«
»Soll ich's ihm sagen?«
»Würde ich nicht tun, Mr. DaNucci.«
Fat Paulie grinste wie ein Faun. »Können Sie schweigen?«
»Wie ein Grab.«
»Ich habe ein paar technische Raffinessen unter den Sitzen installieren lassen«, klärte Fat Paulie mich genüßlich auf. »Eine unter dem Beifahrersitz, zwei unter den Rücksitzen. Sie sitzen auf einer solchen Neuheit. Handelt sich um einen kurzen Stahllauf mit einer großkalibrigen Schrotpatrone. Und die zielt direkt auf Ihren Allerwertesten. Wenn Vinny mit dem Fuß auf den richtigen Knopf drückt, zerfetzt sie meine Polster in tausend Stücke. Und Sie dazu. Hübsch, was?«
Das Lachen blieb mir beinah im Hals stecken.
»Ja, nette Idee.«
Ich wandte mich ab, um auszusteigen. Paulie hielt mich an der Schulter zurück. Als ich zurücksah, blickte ich in zwei Pistolen ... die eine in Fat Paulies Hand, die andere in Vinnys Hand.

»Diese Dinger können verdammt leicht losgehen«, erklärte Fat Paulie todernst. »Man sollte vorsichtig sein, auf wen man sie richtet.«
»Jawohl, Sir.«
»Sir! Gefällt mir schon besser. Und noch was. Ich habe heute nacht achthundert Piepen beim Poker gewonnen. Hat mich verdammt gut gelaunt gemacht. Glück für Sie, daß ich nicht achthundert verloren habe. Kapiert, Mr. Privatdetektiv?«
»Kapiert.« Ich stieg aus.
Der Cadillac glitt davon.

22

Kurz vor vier Uhr morgens kam ich nach Hause.
Ich war restlos erschöpft und schlief bis acht. Nach dem Frühstück war ich wieder in der Lage, klar zu denken. Ich hatte mich von Johnny Toes Burke, Bruno Tartalia und Fat Paulie DaNucci ablenken lassen. Wenn ich Stephanie finden wollte, mußte ich mich ausschließlich an Joes vier Kunden halten.
Da sich Johnny Toes ganz offensichtlich nur für Bellanos Bücher interessierte und Mitch Overholser nicht der Typ zu sein schien, der sich mit Minderjährigen oder Landminen abgab, blieben Gary Rivers und Stan Fowler.
Ich rief den Fernsehsender an. Gary Rivers war nicht im Studio. Carol dagegen hielt die Stellung. Sie erinnerte sich an den vermeintlichen Journalisten.
»Carol, Sie hatten mir erzählt, Garys Frau sei zu ihren Eltern nach Colorado Springs gezogen«, begann ich.
»Richtig.«
»Ist sie noch dort?«
»Ja.«
»Haben Sie zufällig die Adresse?«
Fünf Minuten später hatte ich sie. Gary Rivers' Frau hielt sich seit Anfang August dort auf. »Der Grund war ein Todesfall in der Familie, stimmt's?« bohrte ich weiter.
»Es war ihr Sohn«, erwiderte Carol.
»Ihr Sohn? Wie alt war er?«
»Erst ein paar Monate. Er ist am plötzlichen Kindstod gestorben.«

Meine Hand am Hörer verkrampfte sich.
»Ist das in Denver passiert?«
»Nein. Sie waren damals in den Bergen. Big Pine.«
Ich hielt die Luft an.
»Aber das drucken Sie bitte nicht, ja?«
»Wie? Nein, natürlich nicht. Eine Frage noch. War Gary Rivers je beim Militär?«
»Nein.«
Ich bedankte mich und legte auf.
Gary Rivers und Stephanie waren im Sommer beide in Big Pine gewesen. Betty Phipps hatte mir die Karteikarte eines Kleinkindes gezeigt, das tot in die Praxis des Amtsarztes gebracht worden war. Der Nachname des Kindes war nicht Rivers gewesen. Aber das hatte nichts zu bedeuten. Stephanie hatte das Baby . . . und Rivers gesehen. Aber warum sollte sie deshalb Angst vor ihm haben?«
Ich nahm mir vor, Rivers danach zu fragen.
Beim Militär war er angeblich nicht gewesen. Trotzdem war es möglich, daß er mit militärischen Waffen umgehen konnte. Zum Beispiel mit Landminen.
Auch das wollte ich ihn fragen.
Ich rief bei ihm zu Hause an. Fehlanzeige. Auch am Autotelefon meldete sich niemand.
Danach blieben mir mehrere Möglichkeiten: ich konnte ihn suchen; ich konnte in sein Haus einbrechen und auf ihn warten; ich konnte nach Colorado Springs fahren und mit seiner Frau reden. Oder ich konnte mich mit Stan Fowlers Frau unterhalten.
Nur weil viele Verdachtsmomente für Rivers sprachen, durfte ich Fowler nicht vernachlässigen. Er ließ sich mit Minderjährigen im *Lion's Lair* ein und schuldete Joe Bellano annähernd hunderttausend Dollar.
Das Heim der Fowlers war eine feudale Villa im Ranch-Stil. Wir kannten sie alle aus den Werbespots für Fowlers Audio-Video-Markt. Ich ließ den Olds in der kreisförmigen Auffahrt stehen und ging zur breiten Flügeltür des Eingangs. Es war alles sehr fotogen. Mrs. Fowler öffnete.
Stans Verkäufer hatte sie als Alkoholikerin bezeichnet. Er hatte recht gehabt.
Mrs. Fowler war unfrisiert und ihre Gin-Fahne reichte bis auf die Veranda. Sie trug eine braune Hose und einen gelben Pullover mit einem frischen Fleck auf dem linken Armbündchen. Ich schätze sie

auf Anfang Fünfzig. Eine verlebte Schönheit, die sich gehenließ. Das Resultat ihres Schminkversuchs vom Morgen war äußerst unbefriedigend. Der Lippenstift war verschmiert und gab ihr das Aussehen eines Clowns.
»Was wollen Sie?« Ihre Stimme war heiser von all dem Alkohol, der über Jahre durch ihre Kehle geflossen war.
Ich stellte mich vor und hielt meine Visitenkarte hoch. Sie beugte sich blinzelnd vor und wäre mir beinahe in die Arme gefallen.
»Ohne Brille kann ich so was nicht mehr lesen«, erklärte sie. »Worum geht's überhaupt? Sind Sie Kriminalbeamter?«
»Privatdetektiv. Ich hätte gern . . .«
»Ein Schnüffler? Wie im Fernsehen?«
»Schön wär's. Ich möchte gern mit Ihnen über Ihren Mann sprechen.«
»Was hat der Dreckskerl denn jetzt schon wieder ausgefressen?« fragte sie prompt.
Sie bat mich ins Haus.
Der Empfangsraum war riesig. Es gab gleich mehrere Sitzgruppen. Man kam sich vor wie in einer Möbel-Ausstellung. Alles wirkte perfekt, sauber und ordentlich. Mrs. Fowler schien mindestens eine Haushaltshilfe zu haben.
»Was trinken Sie?« erkundigte sie sich.
»Danke nichts.«
»Das ist nicht Ihr Ernst!«
»Also gut. Bier. Falls Sie haben.«
»Ich habe alles.« Ich glaubte es ihr sofort. »Setzen Sie sich.«
Sie wankte in Schlangenlinien in die Küche. Für den späten Vormittag eine reife Leistung. Das Leben mit Stan gestaltete sich offenbar schwierig. Ich setzte mich auf die nächststehende Sitzgarnitur, ein eierschalenfarbenes Sofa mit passenden Sesseln und einem schwarzen Lacktisch. Auf dem Tisch stand ein grüner, häßlicher Porzellanfrosch. In seinem Rücken steckte ein Lampenschirm.
Mrs. Fowler kehrte mit einer Flasche Heinecken und einem großen Glas Gin on the rocks zurück. Sie ließ sich neben mir auf die Couch fallen und verschüttete etwas Gin. Die Flasche Bier stellte sie auf mein Knie. Ich nahm sie ihr ab.
»Mrs. Fowler, Ihr Mann . . .«
»Sagen Sie Madge zu mir.«
»Also gut, Madge . . .«
»Und Sie sind? Wo habe ich bloß Ihre Karte gelassen?«

»Jacob Lomax.«

»Jake! Gefällt mir. Zum Wohl!« Sie nahm einen großen Schluck Gin. »Also, was haben Sie auf dem Herzen, Jake?«

»Ich arbeite für die Eltern von Stephanie Bellano. Sie ist vor zwei Wochen von zu Hause weggelaufen. Niemand hat sie seither gesehen. Es ist möglich, daß Ihr Mann sie gekannt hat und . . .«

»Wie alt ist sie?« unterbrach sie mich lakonisch.

»Achtzehn.«

»Dann hat Stan sie wahrscheinlich gekannt.« Sie trank erneut ein großes Loch in ihren Drink. »Er mag sie ganz jung, Jake.«

»Hat er je ihren Namen erwähnt?«

»Nie«, antwortete sie. »Wie schmeckt Ihr Bier?«

»Gut. Ist Stan je in Big Pine Lake gewesen?«

Madge Fowler neigte plötzlich ihren Kopf zur Seite, als sei ihr etwas eingefallen. »Moment mal! Steckt Stan irgendwie in Schwierigkeiten? Ich meine mit der Polizei?«

»Möglich.«

»Du meine Güte!« Sie klatschte mit der flachen Hand auf mein Knie. »Ich hab's gewußt. Eines Tages endet der Dreckskerl im Gefängnis. Geschieht ihm recht. Wenigstens hält ihn das dann von den Teenie-Bars fern, wo er jeden Rock unter fünfundzwanzig zu ficken versucht. Für mich hat er schon zwei Jahre lang keinen mehr hochgekriegt.« Sie nahm einen kräftigen Schluck Gin. Ihre Augen stierten stumpf ins Leere. »Er will die Scheidung. Aber nicht mit mir. Ist viel zu amüsant, ihm das Leben zur Hölle zu machen. Das Gefängnis wünsche ich ihm von Herzen. Da tun die anderen Insassen mit ihm, was er mit den jungen Dingern gemacht hat.«

Sie ließ die Eiswürfel in ihrem Glas klirren. Der Gin war mittlerweile in der Minderheit.

»Also, wo waren wir stehengeblieben?« fragte sie plötzlich.

»Ist Stan je in Big Pine gewesen?«

»Natürlich. Wir sind da immer hingefahren.« Bei dieser Erinnerung lächelte sie kurz. »Er hat mich zum Fischen draußen auf dem See mitgenommen.«

»Sind Sie diesen Sommer dort gewesen?«

»Ich doch nicht. Mich hat er seit Jahren nirgendwohin mitgenommen.«

»War Stan dort?«

»Klar doch. Wir haben ein Ferienhaus am See. Er ist häufig dort.

Angeblich mit Geschäftsfreunden. Ich tu so, als glaube ich es. Der Trottel!«

»Es ist also nicht geschäftlich?«

»Gütiger Himmel, nein«, widersprach sie. »Er nimmt sich Frischfleisch mit.«

»Sie meinen die Mädchen aus den Bars?«

»Genau das meine ich.« Sie kam unsicher auf die Beine und trank ihr Glas aus. »Noch einen?«

»Warum nicht.«

Ich stellte meine volle Bierflasche auf den Tisch und folgte ihr in die Küche. Dabei fragte ich mich, wie es Stan Fowler gelungen sein mochte, Stephanie in sein Ferienhaus zu locken. Möglicherweise war sie auch jetzt dort; vielleicht sogar unfreiwillig.

Madge Fowler mixte sich schwankend den nächsten Drink.

»Wo genau liegt Ihr Ferienhaus?« erkundigte ich mich.

»Irgendwo am hinteren Ende des Sees«, antwortete sie. Der Kühlschrank klappte mit einem schmatzenden Geräusch zu.

»Kennen Sie Big Pine?«

»Ein bißchen.«

Sie erklärte mir den Weg zum Ferienhaus. »Warum legen wir nicht Musik auf und machen's uns gemütlich?« fragte sie.

»Ich kann leider nicht bleiben.«

Sie war sichtlich enttäuscht.

»Wirklich nicht? Stan macht erst um sechs Uhr abends den Laden dicht. Und der Himmel weiß, wann er nach Hause kommt.«

»Vielleicht das nächste Mal«, vertröstete ich sie. »Noch was, Madge. War Stan bei den Streitkräften?«

»In der Armee? Klar.« Sie lächelte breit. Offenbar eine schöne Erinnerung. »Sie hätten ihn in Uniform sehen sollen! Umwerfend!«

»Was hat er da gemacht?«

»Na, das übliche, denke ich.«

»War er hauptsächlich im Büro?«

»Stan? Nein. Bei einem Sprengtrupp.«

»Sind Sie sicher?«

»Klar, bin ich sicher. Er war im Koreakrieg. Hat sogar 'nen Orden gekriegt. Schätze, weil er irgendwas in die Luft gejagt hat.«

Von Madge Fowler aus fuhr ich über die Ausfallstraße in östliche Richtung zur Interstate 70 und in die Berge. Die Straßen waren frei. Ich brauchte nur etwas über zwei Stunden bis Big Pine.

See und Himmel hatten dasselbe fahle Grau. Ich fuhr an zahlreichen Ferienhäusern vorbei; unter anderem auch an dem von Betty Phipps, das unbewohnt und verlassen wirkte.
Vor Fowlers Häuschen hielt ich an.
Ich stapfte durch kniehohen Schnee bis zur Tür. In ein Holzschild war der Name »Fowler« eingebrannt. Bis auf meine Fußabdrücke, war die Schneedecke in der Umgebung des Hauses jungfräulich und unberührt.
Auf mein Klopfen rührte sich nichts.
Ich stapfte zu einem Seitenfenster und spähte ins Innere. Dort sah ich ein rustikal eingerichtetes Wohnzimmer mit Kamin.
Ich schlug eine Scheibe ein, öffnete das Fenster und stieg ein.
Drinnen war es fast so kalt wie draußen. Ich folgte meinem kondensierenden Atem von Zimmer zu Zimmer . . . Schlafzimmer, Küche, Badezimmer. Alle waren leer. Und kalt.
Ich entriegelte die Hintertür und sah über die glatte Schneedecke. Hier war seit Wochen, vielleicht seit Monaten niemand mehr gegangen.
In einer Küchenschublade fand ich Klebestreifen und unter der Spüle einen Pappkarton. Damit verschloß ich provisorisch das eingeschlagene Fenster. Ich fuhr nach Denver zurück.

Ich erwartete nicht, daß Stan sich kooperativ zeigen würde. Also fuhr ich zuerst nach Hause, um meine Waffe zu holen. Ich hatte die Tür kaum aufgeschlossen, da klingelte das Telefon. Gary Rivers war am anderen Ende.
»Ich versuche seit Stunden, Sie zu erreichen«, sagte er. Er klang aufgeregt.
»Sie suchen zur Abwechslung mal mich?«
»Ich bin bei Mrs. Bellano, und sie . . .«
»Sie sind wo? Was machen Sie da?«
»Erklär ich später. Sie hat mich gebeten, Sie anzurufen. Kommen Sie so schnell wie möglich. Sie hat eine Lösegeldforderung erhalten.«
»Eine was?«
»Stephanie wurde gekidnappt.«

23

Angelas Bruder Tony öffnete mir die Tür und ließ mich ein.
»Wir sind in der Küche«, sagte er und ging voraus.
Eigentlich hatte ich angenommen, das »wir« würde einige Kriminalbeamte einschließen. Doch ich traf lediglich auf Angela Bellano und Gary Rivers. Rivers fummelte an seiner Krawatte, als sei sie ihm unbequem. Mir hingegen war Rivers unbequem.
»Was ist passiert?« fragte ich Angela.
Sie saß am Küchentisch, einen Rosenkranz zwischen den Fingern. Auf dem Tisch lag ein unbeschriebener weißer Umschlag. Er war aufgerissen. Darauf glitzerte ein goldener Ring.
»Sie haben Stephanie.«
»Der Anruf kam heute morgen«, erklärte Tony. »Der Mann hat gesagt, er habe Stephanie. Falls wir sie wiedersehen wollen, müssen wir hunderttausend Dollar bezahlen.«
»Haben Sie die Polizei verständigt?«
»Nein!« Angela schoß halb von ihrem Stuhl hoch und ließ sich wieder fallen. »Keine Polizei!«
Tony hatte die Hand auf ihrer Schulter. »Der Typ am Telefon hat gedroht, Stephanie umzubringen, wenn wir die Polizei einschalten.«
»Ich bin für die Polizei. Und zwar sofort«, verkündete ich. »Egal, was der Kidnapper gesagt hat.«
»Nein!« wehrte Angela energisch ab.
»Mrs. Bellano. Ich weiß, für Sie ist nur Stephanies Sicherheit wichtig. Aber der sicherste Weg geht über die Polizei. Sie ...«
»Bitte nicht!«
»Die Polizei kann das Telefon abhören. Die können hundert Sachen machen, wozu wir nicht in der Lage ...«
»Wir können das Lösegeld bezahlen«, warf Tony lakonisch ein. »Und genau das tun wir. Entweder Sie helfen uns dabei oder Sie verschwinden.«
»Tony ...«
»Ja, ja.«
Tony ging zum Kühlschrank.
»Mr. Lomax«, begann Angela ernst. »Wir können die Polizei nicht einschalten. Nicht solange Stephanie nicht zu Hause und in Sicherheit ist. Diese Leute beobachten vielleicht das Haus. Und wenn sie herausbekommen ... Sie verstehen das doch?«

Ich verstand es. Trotzdem war ich anderer Meinung.
»Natürlich«, murmelte ich. Ich setzte mich neben Angela an den Tisch.
»Wann genau hat der Typ angerufen?« Mittlerweile war es fast fünf Uhr nachmittags.
»Kurz nach Mittag«, antwortete Gary Rivers. »Ich habe zufällig auf die Uhr gesehen.«
Ich sah ihn an. »Sie sind hiergewesen?«
Er nickte.
»Weshalb?«
»Das wissen Sie nicht?« fragte Tony und grinste unverschämt.
»Er arbeitet doch für Sie«, sagte Angela Bellano bekümmert.
»Das hat er Ihnen gesagt?«
»Ich habe gesagt ›mit‹ und nicht ›für‹.« Rivers sah mich an. »Ich hatte Ihnen meine Hilfe bei der Suche nach Stephanie angeboten. Erinnern Sie sich?«
»Darüber sprechen wir später.« Ich wandte mich an Angela.
»Erzählen Sie, was der Mann am Telefon gesagt hat. Und zwar wörtlich.«
»Zuerst hat er sich erkundigt, ob ich Angela Bellano sei. Dann hat er mir gesagt, ich solle in den Briefkasten sehen. Dort läge ein Geschenk für mich. Danach hat er aufgelegt. Ich bin rausgegangen und habe das gefunden.« Sie schob mir den Umschlag zu. Ich griff nach dem Ring. Es war ein schlichter Goldreif mit eingeritztem Blumenmuster. Innen stand der Name Bellano.
»Er hatte Joes Mutter gehört«, seufzte Angela. »Joe hat ihn Stephanie zum sechzehnten Geburtstag geschenkt.«
Ich legte den Ring zurück.
»Kurz danach hat er wieder angerufen«, fuhr sie fort. »›Wir haben Ihre Tochter‹ waren seine Worte, und ...«
»Er hat ›wir‹ gesagt?«
Angela Bellano nickte. »›Wir haben Ihre Tochter. Wenn Sie sie lebend wiedersehen wollen, dann treiben Sie hunderttausend Dollar in bar auf. In Fünfzigern und Hundertern.‹ Ich wollte wissen, ob es Stephanie gutgehe. Er hat das bejaht. Ich wollte mit ihr sprechen. Ich habe ihn angefleht. Aber er hat sich auf nichts eingelassen, hat lediglich gesagt, daß ich Stephanie nie wiedersehen würde, falls ich die Polizei einschalte. Ich habe zu bedenken gegeben, daß es dauern könnte, bis ich das Geld beisammen habe. ›Wir brauchen es Montag‹, hat er gesagt und aufgelegt.«

»Sonst noch was?«
»Reicht das nicht?« fragte Tony sarkastisch.
»Nein, nichts,« sagte Angela und küßte den Ring.
»Wie klang er? Jung? Alt? Schwarz? Weiß?«
»Er klang komisch. Als würde er versuchen, seine Stimme unkenntlich zu machen.«
Sollte der Anrufer Angst gehabt haben, Angela könne ihn erkennen?
»Etwas gefällt mir nicht«, bemerkte ich. »Sie haben Angela nicht mit Stephanie reden lassen.«
»Na, und?« sagte Tony.
»Wie wissen wir, daß sie sie tatsächlich haben?«
»Himmel, der Ring!«
»Richtig. Der Ring.«
Auch das gefiel mir nicht. Und ich wußte nicht recht weshalb.
»Woher wissen wir, daß mit ihr alles in Ordnung ist?«
»Es geht ihr gut!« stellte Angela eigensinnig fest. Sie hatte Tränen in den Augen. »Das weiß ich.«
»Sicher wissen wir das erst, wenn wir mit ihr gesprochen haben.«
»He, Mann!« Tony, der bis jetzt kein Wort gesagt hatte, war mit wenigen langen Schritten bei mir. »Wir wissen, daß es ihr gutgeht!« Er versetzte mir einen Stoß vor die Brust, daß ich fast vom Stuhl fiel.
Ich stand auf. Tony sprang zurück und riß die Fäuste hoch.
»Tony, nein!«
Rivers trat zwischen uns.
»Aufhören, alle beide . . .«
Tony stieß ihn einfach beiseite.
»Schluß jezt!« schrie Angela. »Mein Gott, was soll das? Es geht um mein kleines Mädchen!« Sie hatte die Hände zu Fäusten geballt.
Tony drängte sich an mir vorbei zu seiner Schwester und legte den Arm um sie. »Es ist ja gut. Es wird alles gut.« Er sah mich an, als sei ich an allem schuld. »Lassen Sie uns einen Augenblick allein.«
»Wir sind nebenan«, sagte ich. Rivers folgte mir. Im Wohnzimmer drehte ich mich zu ihm um.
»Ich weiß, Sie fragen sich, weshalb ich hier war, als . . .«
»Sie haben mich angelogen, Rivers«, begann ich.
Er blinzelte überrascht. »Wie bitte?«
»Vergangenen Montag haben Sie behauptet, Stephanie Bellano nie begegnet zu sein. Bis auf den Tag in Bellanos Friseurladen.«

»Das stimmt auch.«
»Nein, tut es nicht. Sie hat im Juli in der Praxis des öffentlichen Gesundheitsdienstes in Big Pine gearbeitet ... als Sie Ihren toten kleinen Sohn dorthin gebracht haben.«
Er wurde bleich. »Woher ...?«
»Ich habe mich umgehört. Warum haben Sie den Namen des Kindes auf dem Meldeformular gefälscht? Was hatten Sie zu verbergen?«
»Seinen Namen gefälscht?«
»Thomas Rhynsburger.«
Rivers räusperte sich. »Rhynsburger ist sein ... ist mein Name. Rivers ist nur mein Künstlername.«
»Warum haben Sie mir nicht gesagt, daß Sie Stephanie in der Arztpraxis begegnet waren?«
»Ich habe sie damals überhaupt nicht wahrgenommen. Bis zu diesem Augenblick hatte ich keine Ahnung.«
»Sie lügen!«
»Nein, ich ... Bitte, wenn Sie sagen, daß Stephanie dort war, in Ordnung. Ich glaube Ihnen. Ich wußte natürlich, daß außer dem Arzt noch eine Person anwesend war. Aber ich habe mir das Gesicht nicht mal angesehen. Ich war ...«
Er wandte den Kopf ab.
»Es fällt mir schwer, darüber zu sprechen«, fuhr er fort. »Meine Frau, ich und Tommy haben dort oben Ferien gemacht.
Jedenfalls hatten wir ein Häuschen am See gemietet. Am zweiten Morgen wollte meine Frau Tommy aus seiner Wiege nehmen. Er atmete nicht mehr. Sie hat geschrien. Ich bin zu ihr gerannt und habe Mund-zu-Mund-Beatmung versucht. Nichts. Wir sind in die Klinik gerast. Dr. Early hat versucht, ihn wiederzubeleben, aber es war zu spät. Er ... war bereits tot.«
Rivers sah auf und schüttelte den Kopf.
»Ich erinnere mich, daß da noch jemand war ... Aber bis jetzt hätte ich nicht sagen können, ob es ein Mann oder eine Frau gewesen ist. Ich stand unter Schock.«
»Verstehe.« Ich konnte allmählich einiges nachvollziehen. »Aber was wollen Sie eigentlich hier ... bei den Bellanos?«
Er zuckte die Schultern. »Ich versuche zu helfen.«
»Helfen? Wem?«
Er wurde rot.
»Sie halten mich für selbstsüchtig, was, Lomax?«

»Ganz recht.«
»Also gut, vielleicht bin ich das. Ich bin seit Montag das dritte Mal hier. Und möglicherweise aus eigennützigen Gründen. Die Story hat großen Nachrichtenwert. Menschlich gesehen. Und ich möchte hier sein, wenn Stephanie nach Hause kommt. Das öffentliche Interesse ...«
»Mit anderen Worten, Angelas Leiden haben Marktwert.«
Rivers hielt meinem Blick nicht stand.
»Im übrigen frage ich mich, ob Stephanie an jenem Tag nicht vor Ihnen davongelaufen ist«, überlegte ich laut.
»Wieso?« Rivers musterte mich überrascht.
Ich senkte die Stimme. »Ihr Dr. Early hat bei Stephanie eine Schwangerschaftsunterbrechung vorgenommen«, fuhr ich mit einem Seitenblick auf die Küchentür fort.
»Wie bitte?«
Ich nickte. »Wenige Wochen, bevor Sie mit Ihrem toten Kind dort gewesen sind. Sie muß noch immer sehr deprimiert gewesen sein.«
Jetzt schweifte Rivers' Blick zur Küchentür. »Weiß man hier davon?«
»Nein. Und bevor ich dahinterkam, wußten es nur Stephanie, ihr Arzt, die Krankenschwester und ihr Priester. Stephanie war sicher, daß sie sich auf diese Personen verlassen konnte. Was Sie betrifft, hatte sie wohl weniger Vertrauen.«
»Was mich betrifft?«
»Vielleicht haben Sie Stephanie nicht erkannt, Rivers. Aber ich glaube, Stephanie hat Sie erkannt. Damals im Friseurladen muß sie Sie sofort mit Dr. Early in Verbindung gebracht haben. Und da waren Sie, als Freund ihres Vaters! Sie ist davongelaufen, weil sie glaubte, Sie würden ihm von der Geschichte erzählen.«
Rivers runzelte die Stirn. »Aber warum ist sie dann nach dem Tod des Vaters nicht nach Hause zurückgekehrt? Meinen Sie, sie wurde die ganze Zeit von Kidnappern festgehalten?«
»Ich meine, daß sie überhaupt nicht gekidnappt wurde.«
»Was soll das heißen? Da ist schließlich der Ring! Und die Lösegeldforderung!«
»Vor vier Tagen ist Stephanie auf einer Farm in Wray gewesen. Sie hat einen Mann in Denver angerufen, und der hat sie dort abgeholt. Die ganze Kidnapper-Geschichte klingt wie etwas, das sich Stephanie und dieser Mann ausgedacht haben.«
Und ich glaubte plötzlich zu wissen, wer dieser Mann sein konnte.

»Sie glauben, Stephanie hat ihre Entführung selbst inszeniert?«
»Möglich. Wenn sie von Anfang an entführt worden wäre, hätte Angela längst eine Lösegeldforderung erhalten. Kidnapper haben es gewöhnlich sehr eilig.«
»Mein Gott, ich kann nicht glauben, daß Stephanie das ihrer Mutter antun würde.«
»Vielleicht hat ihr ›Mann‹ sie überredet.«
»Was für ein Scheißkerl würde ...«
»Der Typ, der Geld und junge Mädchen liebt.« Ich warf einen Blick auf die Uhr. »Zeit, mich mit ihm zu unterhalten. Richten Sie Angela einen Gruß aus.«
Ich ließ den verdutzten Rivers allein zurück.

24

Das *Fowler's Media und Electronic Center* hatte an Samstagen bis achtzehn Uhr geöffnet. Ich kam um fünf nach halb sechs dort an.
»Wir schließen gleich«, klärte Mr. Roberson mich auf. Er tat, als erkenne er mich nicht.
»Stan erwartet mich«, log ich.
»Er ist hinten. Soll ich ihn holen?«
»Keine Umstände, bitte.«
In dem riesigen Laden standen noch ein paar Verkäufer herum. Ich war der einzige Kunde. Ich ging zwischen zwei Reihen farbenfroher Herde hindurch zur Hintertür. Im Lagerraum war es ruhig.
Fowlers Büro lag zu meiner Linken. Ich sprang hastig hinter einen Stapel Kisten, als sich die Tür plötzlich öffnete, und ein Lagerarbeiter lachend herauskam, der Fowler noch einen Gruß zurief. Im nächsten Moment war er durch die Tür und verschwunden.
Plötzlich schwang die Flügeltür wieder auf und Roberson kam. Er blieb in der offenen Bürotür stehen.
»Wir sind fertig, Mr. Fowler.« Pause. »In Ordnung. Dann bis morgen.«
Roberson verschwand im Verkaufsraum. Ich nahm an, daß sämtliche Angestellten den Laden mit ihm verlassen würden.
Ich zog die Magnum und ging in Fowlers Büro.
Fowler saß allein hinter seinem Schreibtisch und brütete über einer Akte.

»Hallo, Stan.«
»Ich dachte, Sie . . .«
Er verstummte abrupt, als er sah, daß ich nicht Roberson war. Dann musterte er flüchtig die Waffe in meiner Hand. Die geplatzten Äderchen in seinem Gesicht leuchteten dunkelrot. Er wirkte wütend, nicht ängstlich. Vielleicht sollte ich mir eine größere Waffe zulegen.
»Was zum Teufel machen Sie hier?«
»Wo ist Stephanie?«
»Raus hier! Sonst rufe ich die Polizei!« drohte er.
»Sie rufen niemanden an. Sagen Sie mir, wo sie ist!«
Fowler richtete sich zu seiner vollen Größe auf. Er war eine durchaus imposante Erscheinung.
»Raus!«
»Ich bin nicht hier, um Spielchen zu machen.«
»Das reicht! Ich rufe die Polizei.«
Ich zielte mit meiner Magnum auf den Telefonapparat und schoß ihn vom Schreibtisch. Er explodierte förmlich. Es regnete weiße Plastikstücke.
Diesen Trick hatte ich einer Filmszene mit Lee Marvin abgeguckt. Die Wirkung war eher enttäuschend. Fowler blieb ungerührt.
Ich wartete, bis das Singen in unseren Ohren verklungen war. »Wo ist sie, Stan?«
»Dafür bezahlen Sie!« zischte Fowler und legte den Hörer auf die leere Stelle, wo sein Telefon gestanden hatte. Seine Hand zitterte nicht einmal. »Ich weiß nichts über Stephanie. Schon gar nicht, wo sie ist.«
Fowler musterte mich aufmerksam. »Stecken Sie die Waffe weg. Sie erschießen mich doch sowieso nicht. Dazu fehlt Ihnen der Mumm.«
»Gehen wir!« sagte ich leise und schwenkte die Magnum in Richtung Tür. Sie lag plötzlich unnatürlich schwer in meiner Hand.
»Ich gehe mit Ihnen nirgendwohin.«
Ich zielte mit meiner Magnum genau auf sein Gesicht und entsicherte sie ostentativ.
Fowler zögerte. Schließlich kam er hinter seinem Schreibtisch hervor.
Ich stieß ihn zur Tür hinaus.
Die Mündung der Magnum in seinen fleischigen Rücken gepreßt dirigierte ich ihn durch die Lagerhalle zu einer Kipptür am rückwärtigen Ende des Gebäudes. Hier wurden Kisten geöffnet und ge-

legentlich wieder zum Rücktransport in die Fabrik versiegelt. An der Wand neben der Tür befand sich eine Theke mit Stemmeisen, Eisenscheren und ähnlichem Zeug. Ich griff nach einer dicken Rolle starkem Klebeband.
»Hände auf den Rücken!« befahl ich.
»Was haben Sie vor?«
»Ich will Sie fesseln. Vorerst mal.«
»Sie sind verrückt! Wenn Sie glauben, daß ich ...«
»Auch gut.« Ich legte das Klebeband zurück und griff nach einem Stemmeisen. »Dann schlage ich Sie zuerst nieder.«
Daraufhin ließ Fowler es geschehen, daß ich ihm die Hände auf den Rücken fesselte. Ich schob ihn mit dem Rücken zu einer Kiste von der Größe eines Kühlschranks und fesselte ihn an den Fußgelenken. Danach richtete ich mich auf und steckte die Magnum ins Halfter.
Fowler hatte zu schwitzen begonnen. Endlich!
Mein Blick war auf einen Gabelstapler in der Ecke gefallen.
»Wo ist Stephanie?« wiederholte ich.
»Keine Ahnung!«
»Gut. Das wollen wir jetzt doch mal sehen«, seufzte ich und befestigte Fowler sorgfältig mit dem breiten Klebeband an der Kiste.
»Wa ...«
»Mund halten!«
»Was ... was haben Sie vor?« keuchte Fowler. »Lomax, Sie glauben doch nicht im Ernst ...«
»Ich glaube, daß Sie lügen, Stan. Und das kann ich nicht ausstehen. Außerdem bin ich frustriert. Ich habe alles getan, um Stephanie zu finden. Vergeblich. Allmählich frage ich mich, ob sie vielleicht schon tot ist.«
Ich kletterte auf den Gabelstapler. Es dauerte seine Zeit, bis ich mit den zahlreichen Hebeln und Knöpfen zurechtkam. Ich bekam ihn in Gang und fuhr damit auf Fowler zu.
Fowler traten die Augen aus den Höhlen.
»Nein!« schrie er aus Leibeskräften, als das schwere Gerät langsam auf ihn zurollte.
Als ich anhielt, berührte die rechte Gabel beinahe seinen Magen.
»Wo ist Stephanie, Stan?« Meine Stimme klang so ruhig, wie unter diesen Umständen möglich.
»Herrgott, Lomax! Ich weiß es nicht! Glauben Sie nicht, daß ich's Ihnen sagen würde, wenn ich's wüßte?«

Ich stieg vom Gabelstapler.
Fowler war leichenblaß geworden. Sein Blick hing starr an der Spitze der Gabel nur Millimeter vor seinem dicken Bauch.
»Wo ist sie, Stan?« fragte ich stereotyp.
»Wie oft soll ich es noch sagen! Ich weiß es nicht!«
Ich machte Anstalten, wieder auf den Gabelstapler zu klettern.
»Nein! Warten Sie. Ich war mit ihr zusammen. Das ist alles.«
Ich hielt inne.
»Im *Lion's Lair*«, fuhr er fort. »Ich habe dort mehrfach versucht, sie anzumachen. Alles klar? Wollten Sie das hören?«
Ich ging zu ihm zurück.
»Reden Sie ruhig weiter!« forderte ich ihn auf.
»Oh, Mann! Ich gehe da seit Jahren hin. Denken Sie doch, was Sie wollen. Junge Mädchen sind das einzige, was mich noch aufregt. Alles ganz harmlos. Ein bißchen Sex in einem Motel oder in meinem Häuschen am See. Vielleicht kriegen sie manchmal Angst, vielleicht habe ich auch schon ein bißchen Druck ausgeübt, aber es ist immer nur harmloser Sex. Ich tu ihnen nichts.«
»Klingt verdächtig nach Vergewaltigung, Stan. Was ist mit Stephanie?«
»Also gut, Stephanie. Hübsches Kind, gute Figur. Ich hab's häufig im *Lion's Lair* versucht, aber ich hatte kein Glück. Wußte nicht mal, daß sie Joe Bellanos Tochter ist. Sonst hätte ich die Finger von ihr gelassen. Als sie damals im Friseurladen herumgeschrien hat und völlig verängstigt schien, war ich in Panik. Ich dachte, sie habe mich erkannt und würde jeden Augenblick alles ihrem Vater erzählen. Der hätte mir die Gurgel durchgeschnitten ... auf der Stelle. Aber sie ist einfach rausgerannt. Das ist alles. Ich schwör's!«
Fowler war völlig außer Atem. Sein Hemd war schweißdurchtränkt.
»Da muß doch noch was gewesen sein«, drängte ich. »Deshalb haben Sie eine Mine in ihren Wagen gelegt.«
»Wie? Nein.«
»War wohl kein Problem für Sie. Als ehemaliges Mitglied eines militärischen Sprengkommandos. Aber der arme alte Joe hat als erster diesen Wagen benutzt und ist in die Luft geflogen. Mittlerweile hat Stephanie längst in einer religiösen Kommune bei Wray Zuflucht gesucht.«
»Sie hat was?«
»Sie waren dort. Haben sie weggeholt.«

»Nein.«
»Und jetzt erpressen Sie Stephanies Mutter ... Sie wollen exakt die Summe, die Sie Bellano schuldeten.«
»Nein, Lomax. Davon weiß ich nichts.«
»Mir reißt der Geduldsfaden, Stan.«
»Ich sage die Wahrheit. Ich schwöre es, ich schwöre es!«
Und dann begann er zu weinen.
Ich ging zu der Werkzeugtheke, holte ein Messer und schnitt Stan los. Er setzte sich auf den kalten Beton und umfing seine Knie. Tränen rannen über seine bleichen Backen.
»Tut mir leid, Stan.« Ich meinte das ehrlich.

25

Ich fuhr von Fowlers Parkplatz.
Was ich getan hatte, widerte mich an. Ich hatte mich hinreißen lassen, war zu weit gegangen. Fowler hatte nur am Rande etwas mit Stephanie zu tun gehabt.
Ich ging in die nächstbeste Bar und betäubte systematisch meine kleinen grauen Zellen.
Als ich am nächsten Morgen aufwachte, war ich noch angezogen. Zumindest hatte ich es bis in mein Bett geschafft. Daran, wie ich nach Hause gekommen war, konnte ich mich allerdings nicht mehr erinnern.
Die Erinnerung an die Szene mit Fowler im Lagerraum war dafür um so klarer. Bedauerlicherweise.
Nur eines stimmte mich positiv: Ich glaubte zu wissen, daß Fowler zumindest kein Kidnapper oder Mörder war.
Mein Frühstück bestand aus zwei Gläsern Bloody Mary und Rührei mit Chilli.
Ich spülte gerade ab, als das Telefon klingelte.
Es war Fat Paulie DaNucci.
»Sind Sie der, der sich kürzlich hinter meinen Mülleimern versteckt hatte?«
»Ja. Ich will's nie wieder tun.«
»Es gibt Hoffnung für Sie. Haben Sie Stephanie gefunden?«
»Nein.«
»Dann hören Sie zu. Erinnern Sie sich, daß ich von einem Typ ge-

sprochen habe, der einen Typ kennt, der vielleicht einen anderen Typ kennt?«
»Ist der letzte der Typ, der was über einen Überfall auf ein Waffendepot weiß?«
»Richtig. Versuchen Sie Ihr Glück bei Ramon Quinteras.«
»Wer ist das?«
»Ein kleines Arschloch, das in Northglenn wohnt.«
»Was hat er mit dem Raub zu tun?«
»Drücken wir es so aus: Wenn die Armee ihr Spielzeug wiederhaben will, sollte sie mal in Ramons Keller nachsehen.«
»In Ordnung. Danke.«
»Hilft das, Stephanie zu finden?«
»Vielleicht. Aber es hilft sicher der Polizei, den Killer ihres Vaters zu schnappen.«
»Fast so gut. Und noch was, Lomax. Falls Sie mal 'nen richtigen Job suchen ... Rufen Sie mich an.«
»'nen richtigen Job? Meinen Sie damit, Leuten Angst zu machen, damit sie ihre Schulden bei Ihnen bezahlen?«
»Lomax, die Banken tun doch auch nichts anderes.«
»Da haben Sie wieder recht.«
Ich legte auf und rief die Polizei an. MacArthur arbeitete gelegentlich sonntags. Diesmal hatte ich Pech. Ich mußte ihn zu Hause anrufen. Er zeigte sich kaum begeistert.
»Was willst du? Ich kann nur deinetwillen hoffen, daß es was Wichtiges ist. Meine Kinder warten.«
»Ich habe einen Namen – den Überfall auf das Waffendepot betreffend. Ramon Quinteras.« Ich wiederholte, was Fat Paulie mir gesagt hatte.
»Woher hast du die Information?«
»Aus einer verläßlichen Quelle, die anonym bleiben möchte.«
»Ich denke nicht daran, mir aufgrund einer ›verläßlichen Quelle‹ einen richterlichen Haftbefehl zu besorgen. Ich brauche einen Namen«, polterte Mac Arthur.
»Seine Initialen lauten F.P.D.«
Einen Moment war es still. »Hat er Quinteras genannt?«
»Ja.«
»Und du glaubst ihm?« fragte MacArthur.
»Hundertprozentig. Er will Bellanos Mörder. Genau wie du.«
»Dann sag deinem fetten Freund, er soll mal Zeitung lesen. Wir haben gestern jemanden verhaftet.«

»Ach ja? Wen?«
»Mitch Overholser.«
»Wie bitte?«
»Unser Archiv-Angestellter hat endlich ausgepackt. Er kannte Overholser schon länger. Hat durch ihn Wetten plaziert. Er hat ausgesagt, daß Overholser am Tag nach dem Mord an Bellano versucht hat, ihn mit Hilfe von Geld zu überreden, Bellanos Disketten zu stehlen oder zu zerstören. Als Isenglass abgelehnt hat, wurde Overholser massiv. Er hat wörtlich gesagt: ›Was Bellano passiert ist, kann dir auch passieren.‹ Daraufhin hat Isenglass einen Magneten in die Aufbewahrung geschmuggelt. Die Wirkung auf Disketten ist bekannt. Bellanos Disketten waren zerstört.«
»Was sagt Overholser dazu?«
»Er hat alles zugegeben ... bis auf die Sache mit der Bombe. Behauptet, das nur erfunden zu haben, um Isenglass Angst einzujagen.«
»Und was glaubtst du?«
»Ich weiß, daß Overholser Bellano sechsundvierzigtausend Dollar schuldete. Hat er selbst zugegeben. Und es ist schon wegen weniger gemordet worden.«
»Habt ihr Beweise?«
»Was ist los? Bist du das Schwurgericht persönlich? Natürlich haben wir Beweise. Wir haben damit gestern nacht immerhin einen Haftbefehl erwirkt und Overholsers Wohnung und Wagen durchsucht. Und was meinst du, haben wir unter einer Decke versteckt im Kofferraum seines Wagens gefunden? Eine Landmine. Dasselbe Modell, das Bellano getötet hat. Overholser hat natürlich keine Ahnung, wie sie dahin gekommen ist. Und noch was. Overholser hat als junger Mann in der Colorado National Guard gedient – und zwar eine Zeitlang auch in Camp George West.«
Ich legte auf und rief bei Angela Bellano an. Tony war am Apparat. Er wußte bereits, daß Overholser verhaftet worden war.
»Bin froh, daß sie das Schwein haben.« Es klang nicht überzeugt; eher deprimiert. »Sie haben sich wieder gemeldet.«
Er meinte die Kidnapper.
»Wie geht es Angela?«
»Einigermaßen. Hören Sie, Lomax. Ich glaube, ich muß mich bei Ihnen entschuld ...«
»Schon in Ordnung.«
»Morgen vormittag könnten wir Ihre Hilfe brauchen.«

»Jederzeit.«
»Während wir drei das Geld holen, muß jemand zu Hause beim Telefon bleiben. Falls sie anrufen.«
»Wir drei?« wiederholte ich erstaunt.
»Rivers begleitet uns.«
»Warum?«
»Angela glaubt offenbar, daß er uns helfen kann . . . bei den Banken.«
»Und was glauben Sie?«
»Ich glaube, daß er so überflüssig ist wie ein Kropf«, antwortete Tony. »Aber ich kann nichts machen. Angela vertraut ihm. Und er war ein Freund von Joe.«
»Behauptet er.«
»Also, was ist? Können wir mit Ihnen rechnen?« drängte er.
»Klar.«
»Gut, dann kommen Sie morgen zum Frühstück. Um Viertel nach acht.«
Er legte auf.
Ein endlos langer einsamer Sonntag lag vor mir. Mir kam eine Idee. Ich nutzte den Tag, um ein Mobiltelefon in meinen Olds einbauen zu lassen.

Montagmorgen um Viertel nach acht fuhr ich vor Bellanos Haus vor.
Als ich parkte, entstieg Rivers einem weißen BMW mit dunkelgetönten Scheiben. Die Edelkutsche erinnerte mich an einen Polarbären mit Sonnenbrille. Rivers hatte eine Aktentasche bei sich. Wir gingen zusammen den Gartenweg entlang.
»Ich bin froh, daß Sie da sind«, begann er. »Ich glaube, Tony mag mich nicht.«
»Kann ich ihm nicht verübeln.«
Rivers schüttelte den Kopf. »Ich versuche nur, zu helfen.«
»Würde mich interessieren, wie?«
»Ich habe ausgezeichnete Kontakte zu den Banken.«
»Aha. Und wo wartet Ihre Kamera-Crew?«
»Halten Sie doch den Mund!« Rivers war rot geworden. »Ich gebe fünftausend Dollar aus eigener Tasche dazu, um Angela zu helfen. Außerdem habe ich einige Radio- und Fernsehsender dazu gebracht, gemeinsam zwanzigtausend aufzubringen. Das sind insgesamt fünfundzwanzigtausend Dollar.«

Ich packte Rivers bei den Mantelaufschlägen und schüttelte ihn, daß er vor Schreck die Aktentasche fallen ließ.
»Sie haben bereits die Medien mobil gemacht?« brüllte ich.
»Wie? Nein, verdammt noch mal. Lassen Sie mich los!«
Ich stieß ihn unsanft von mir. Er strich seinen Mantel wieder glatt.
»Ich habe den Leuten lediglich verraten, daß es da eine sensationelle Story gibt und ...«
»Mit exklusiv Rechten.«
»Auch das. Na und? Sie haben das Geld angewiesen. Ich muß es nur noch bei der Bank abholen.« Er hob seine Aktentasche auf und klopfte den Schnee ab. »Zufrieden?«
Ich antwortete erst gar nicht.
Tony öffnete uns die Tür und führte uns in die Küche. Angela hatte bereits den Tisch gedeckt. Wir setzten uns, und Angela servierte ein italienisches Frühstück. Ich fragte, wie sie die Lösegeldsumme aufbringen wolle.
»Joseph hatte ein Festgeldkonto für uns eingerichtet und eine größere Summe in Aktien angelegt. Ich löse alles auf.«
»Hm«, murmelte ich. »Und welches Auto wollen Sie nehmen?«
Tony zuckte die Achseln und sah Rivers an. Rivers' Antwort bestand ebenfalls in Schulterzucken.
»Nehmen Sie Ihren«, sagte ich zu Rivers.
»Gibt's da einen besonderen Grund?«
»Sie haben ein Telefon im Wagen, stimmt's? Ich ebenfalls. Ist später sicher nützlich, wenn wir uns unterwegs verständigen können.«
»Was haben Sie vor?« fragte Tony.
»Kann ich noch nicht sagen. Warten wir ab, was die Kidnapper vorhaben. Seid bitte vorsichtig. Ihr habt 'ne Menge Geld bei euch.«
»Keine Sorge. Ich stecke eine Waffe ein«, versicherte Tony mir.
»Muß das sein?« Ich war nicht begeistert.
Nach dem Frühstück verließen die drei das Haus: Angela mit Rosenkranz, Tony mit Pistole, Rivers mit Aktenkoffer. Ich kam mir wie ein unmündiges Kind vor, das die Erwachsenen zu Hause gelassen hatten.
Nachdem ich den Tisch abgeräumt, das Geschirr gespült und aus purer Langeweile und Neugier durchs Haus geschlendert war, klingelte das Telefon in der Küche. Ich griff nach dem Hörer. Es war Rivers.
»Es dauert alles länger, als geplant«, berichtete er. »Wir haben bisher erst die zwanzigtausend Dollar von den Rundfunk- und

Fernsehanstalten kassieren können. Wir besprechen später alles ausführlich.«
»Später« war schließlich vier Uhr nachmittags, als alle drei zurückkamen. Es war ihren Gesichtern anzusehen, daß es nicht gutgegangen war.
»Was ist passiert?«
»Hat er angerufen?« wollte Tony wissen.
»Nein.«
»Wir haben nur achtundfünfzigtausend«, erklärte Angela besorgt. »Was machen wir jetzt?«
Ich zuckte mit den Achseln.
»Wir haben den ganzen Tag in der Bank verbracht«, stöhnte Rivers. »Das Festgeldkonto war kein Problem. Aber die Aktien! Die Abwicklung dauert mindestens vierundzwanzig Stunden. Das ist die übliche Karrenzzeit, die eingehalten werden muß.«
Ich nickte und wollte an ihm vorbei in die Küche gehen.
Rivers hielt mich zurück. »Die Sache mit den Autotelefonen, Lomax. Was haben Sie vor?«
»Die Kidnapper müssen Angela irgendwann Anweisungen zur Lösegeldübergabe geben. Für diesen Fall, möchte ich ihr unbemerkt folgen können.«
»Augenblick mal! Sie wollen während der Lösegeldübergabe einen Coup riskieren?«
»Selbstverständlich.«
»Mensch, Lomax! Das könnte ins Auge gehen.«
»Ich sorge schon dafür, daß Angela dann in Sicherheit ist.«
»Ich denke eher an Stephanie.«
»Ich will ehrlich sein, Rivers«, antwortete ich und senkte die Stimme. »Es ist durchaus möglich, daß Stephanie bereits tot ist.«
Rivers starrte mich entsetzt an. »Wie kommen Sie darauf?«
»Die Kidnapper haben sich geweigert, Angela mit ihrer Tochter sprechen zu lassen. Das kann nur zweierlei bedeuten: entweder sie haben Stephanie gar nicht oder sie ist tot. Also riskieren wir nichts, wenn wir versuchen, uns die Kidnapper zu schnappen. Ansonsten erfahren wir nie, was mit Stephanie passiert ist.«
»Und falls das Mädchen doch lebt und gefangengehalten wird?« gab Rivers zu bedenken.
»Dann müssen die Kidnapper das beweisen.«
»Angenommen, sie tun das?«
»Dann sind wir vorsichtiger«, erwiderte ich.

Rivers nickte. Wir gingen zu den anderen in die Küche.
Der Anruf, auf den wir gespannt warteten, kam um neun Uhr.

26

Angela Bellano wartete, bis ich den Apparat im Wohnzimmer erreicht hatte. Dann hob sie in der Küche den Hörer ab.
»Hallo?«
»Mrs. Bellano?« Es war eine Männerstimme.
»Ja?«
»Haben Sie das Geld?« Seine Stimme klang wattig und undeutlich, so als spräche er durch ein Taschentuch.
»Ich habe achtundfünfzigtausend. Den Rest kriegen wir erst morgen.«
»Sie sollten die Summe doch bis heute abend haben?« Er war wütend. »Sie wollen uns hinhalten!«
»Nein! Ehrenwort! Die Bank ... Es war schwierig genug ...«
»Moment mal! Sie sagten ›wir‹! Hatte ich Sie nicht ausdrücklich gewarnt, andere Personen einzuschalten? Oder wollen Sie Ihre Tochter nicht lebend wiedersehen?«
»Nur mein Bruder weiß Bescheid.« Angela blieb erstaunlich ruhig. »Tony wohnt zur Zeit in meinem Haus. Er hat Ihren ersten Anruf mitbekommen und unterstützt mich. Außerdem kann ich nicht Auto fahren«, log sie.
Der Anrufer schwieg eine Weile. Angela sah mich aus der Küche fragend an.
»Und Sie sind sicher, daß er der einzige ist, der Bescheid weiß?« ertönte die Stimme des Kidnappers am anderen Ende.
»Ja, das schwöre ich.«
»Gut. Dann rufe ich morgen abend wieder an. Und ich rate Ihnen, das Geld bis dahin zu haben. Und zwar komplett!«
»Warten Sie! Bitte lassen Sie mich mit Stephanie sprechen!«
»Stecken Sie das Geld in eine Sporttasche und sorgen Sie dafür, daß Ihr Wagen aufgetankt und fahrtüchtig ist. Verstanden?«
»Selbstverständlich. Aber ich möchte mit Stephanie sprechen. Woher weiß ich, daß sie ...«
»Wenn Sie das Geld haben, können Sie mit ihr reden. Und keine Tricks, Lady.« Die Leitung war tot.

Ich legte auf.
Angela kam zu Rivers, Tony und mir ins Wohnzimmer.
Tony und ich besprachen unsere Vorgehensweise. Wir nahmen an, daß Angela und Tony den ganzen Tag über beobachtet wurden. Aus diesem Grund wollte Rivers ihnen seinen Wagen überlassen. Ich würde mich die ganze Zeit über in der Nähe meines Autotelefons im Olds aufhalten, aber außer Sichtweite der Bellanos bleiben. Tony sollte fahren, während Angela Kontakt zu mir hielt. Hinter den getönten Fenstern des BMWs konnte man unbemerkt telefonieren.
Es klang alles ganz einfach. Mir fielen nur gut hundertzwanzig Sachen ein, die schiefgehen konnten.
»Und was ist mit mir? Was mache ich?« erkundigte sich Rivers übellaunig.
»Sie halten sich da lieber raus«, erwiderte ich.
»Ganz richtig«, bekräftigte Tony.
Angela sprang ihm zur Seite. Und ihre Stimme allein zählte. Wir kamen schließlich überein, daß Rivers am wenigsten Schaden anrichten konnte, wenn er bei mir blieb. Das Arrangement gefiel mir zwar nicht, doch ich konnte nichts dagegen tun. Rivers und ich verließen das Haus durch den Hintereingang. Es schneite erneut. Die Kinder in der Stadt würden sich freuen. In acht Tagen war Weihnachten. Bei mir hielt sich die Freude in Grenzen. Mein Olds hatte leider keine Kufen. Das Wetter machte alles nur noch schwieriger. Ich fuhr Rivers in seinen vornehmen Vorort hinter dem South University Bouelvard, setzte ihn vor seinem Haus ab und machte mich auf den Heimweg.

Am nächsten Morgen holte ich Rivers ab. Ich hatte meine Ankunft vom Autotelefon aus angekündigt. Rivers erwartete mich bereits im Mantel vor der Tür. Unter den Arm hatte er ein längliches, in eine Decke gewickeltes Bündel geklemmt. Jedes Kind konnte erkennen, was er mit sich rumschleppte. Ein Amateur mit einem Jagdgewehr war genau das, was mir noch gefehlt hatte.
»Lassen Sie die Waffe lieber zu Hause!« polterte ich wütend, als er einstieg.
»Möglich, daß wir sie noch brauchen«, entgegnete er eigensinnig.
»Ich sorge schon dafür, daß es nicht soweit kommt!« versprach ich zähneknirschend. Für längere Diskussionen fehlte die Zeit.
Wir fuhren zu Bellanos Haus. Drei Blocks weit entfernt hielt ich am

Straßenrand an, nahm das Telefon und rief an. Tony meldete sich. Ich gab ihm meine Nummer und sagte ihm, daß wir Angela und ihm unauffällig zur Bank folgen würden.
»Rufen Sie mich unterwegs an«, bat ich ihn. »Ich will mich vergewissern, daß die Dinger auch bei Verkehr funktionieren.«
»Die Dinger funktionieren ausgezeichnet«, belehrte Rivers mich herablassend, als ich aufgelegt hatte.
Tony und Angela kassierten die fehlende Summe ohne weitere Probleme. Danach kehrten wir alle zum Haus zurück, um auf den Anruf zu warten.
Der Anruf kam um halb sieben Uhr abends. Rivers und ich hörten am Nebenanschluß mit.
»Mrs. Bellano?« Es war die Stimme vom Vorabend . . . verzerrt und undeutlich. »Haben Sie das Geld?«
»Ja. In Fünfzigern und Hundertern. Wie Sie es verlangt haben. In einer größeren Sporttasche.«
»Gut. Wir schicken Sie jetzt ein bißchen in der Stadt herum, damit wir sicher sein können, daß Sie nicht verfolgt werden. Aber ich werde Sie beobachten. Verlassen Sie sich darauf. Wenn irgendein Verdächtiger auftaucht, sehen Sie Stephanie nie wieder. Verstanden?«
»Natürlich. Lassen Sie mich jetzt mit ihr sprechen!«
»Sobald ich das Geld in meinen Händen habe . . .«
»Aber Sie haben versprochen . . .«
»Klappe. Hören Sie mir lieber zu. Ecke Thirty-eights Street und Irving steht vor dem Supermarkt eine Telefonzelle. In fünf Minuten klingelt dort das Telefon. Ich rate Ihnen, dort zu sein.«
»Warten Sie! Hängen Sie nicht ein. Ich will mit Stephanie reden, bevor ich das Haus verlasse!«
»Vergessen Sie das Geld nicht«, befahl er. »Sie haben noch viereinhalb Minuten.« Er legte auf.
»Die Sache gefällt mir nicht«, bemerkte Rivers.
»Mir auch nicht. Gehen wir!«
Tony und Angela verließen das Haus durch die Vordertür. Rivers und ich nahmen den Hinterausgang. Der Supermarkt lag nur sechs Straßenzüge weit entfernt. Ich fuhr langsam, um Angela und Tony ausreichend Vorsprung zu lassen. Als ich die Thirty-eighth überquerte, sah ich Angela bereits in der Telefonzelle stehen. Die Scheinwerferkegel von Rivers' Wagen hatten sie voll erfaßt. Die Fenster des BMWs waren so dunkel, daß man Tony hinter dem

Steuer nur schemenhaft erkennen konnte. Im Supermarkt stand ein Mann vor dem Zeitschriftenregal. Er konnte Angela unauffällig beobachten.
Ich fuhr auf der Irving Street langsam weiter in südlicher Richtung. Einige Blocks weiter piepte das Telefon. Rivers hob ab.
Er hörte kurz zu. »Es ist Tony. Sie werden zu einem anderen Supermarkt geschickt.«
Der nächste Laden lag Ecke Thirty-ninth und Tennyson. Von dort wurden wir zum nächsten am anderen Ende der Stadt in East Colfax dirigiert. Der vierte war ebenfalls in Colfax, kurz vor Aurora. Auf dem Colfax Boulevard herrschte reger Verkehr. Es war möglich, daß jemand Tony und Angela folgte. Ich hielt mich mit dem Olds eine Parallelstraße weiter auf der Fourteenth Street.
Das Telefon meldete sich erneut. Rivers griff zum Hörer.
Er nickte. »Okay, wir fahren in die Stadt zurück zum Southwest-Plaza-Einkaufszentrum. Angela soll das Einkaufszentrum allein durch den Südwest-Eingang betreten. Mit der Tasche versteht sich. Neben dem Lift ist ein Münzfernsprecher. Dort muß sie auf den nächsten Anruf warten.«
»Tony soll sich Zeit lassen«, sagte ich zu Rivers. »Damit wir zuerst da sind.«
Ich nahm die Thirteenth zurück in die Stadt, bog auf die Eighth Avenue ab und schließlich auf die Sixth Avenue in Richtung Westen ein.
»Rufen Sie Tony an!« forderte ich Rivers auf.
Rivers gehorchte.
»Tony soll mit Angela zum Eingang gehen und dort warten. Er muß darauf achten, ob jemand mit der Tasche wieder rauskommt. Wird allerdings nicht viel nützen. Das Einkaufszentrum hat tausend Eingänge. Ich komme dann von der entgegengesetzten Seite und beobachte schon mal die Münzfernsprecher, bis Angela auftaucht.«
Rivers gab meine Instruktionen weiter und legte auf.
»Glauben Sie, es ist soweit?«
»Möglich.«
»Inmitten so vieler Leute? Der Laden muß voller Weihnachtseinkäufer sein.«
»Das ist Absicht. In der Menge kann man leicht untertauchen.«
Ich näherte mich dem Einkaufszentrum von Norden her. Geschäftsschluß war um neun Uhr, damit blieb uns noch eine Stunde.

Trotzdem war der Parkplatz voll besetzt. Entnervt ließ ich den Olds schließlich im Halteverbot stehen.
»Soll ich das mitnehmen?« Rivers deutete auf sein verräterisches Bündel auf dem Rücksitz.
»Machen Sie Witze? Bleiben Sie am Eingang stehen und halten Sie die Augen offen.«
Ich betrat das Einkaufszentrum mit einem Strom Kauflustiger. »Jingle Bells« dröhnte aus allen Lautsprechern. Ich drängte mich durch die Menge bis zum Lift. Er lag links von einer runden Öffnung im Fußboden, durch die man die Menschen in der darunterliegenden Ebene beobachten konnte. Kinder und Mütter warteten dort in einer Schlange vor dem Weihnachtsmann. Ich blieb auf dieser Seite und betrachtete die Schaufenster einer Drogerie.
Ich sah Angela, als sie den Münzfernsprecher entdeckte; sie ging direkt darauf zu. Entweder sah sie mich nicht, oder sie spielte ihre Rolle gut. Nervös wartete sie neben dem Telefon.
Es klingelte. Sie hob ab und hörte zu. Dann nickte sie und ging mit der Tasche den Weg zurück, den sie gekommen war.
Ich folgte ihr zum Ausgang und beobachtete, wie Tony sie in Empfang nahm. Sie sagte etwas zu ihm. Tony sah auf und entdeckte mich. Er kratzte sich hinter dem Ohr und formulierte mit den Lippen stumm das Wort »Telefon«. Er führte Angela zum Parkplatz.
Ich rannte in entgegengesetzter Richtung zurück. Ich kam mir wie ein Footballspieler auf dem Weg zum Touch-down vor.
Rivers wartete am Eingang des Einkaufszentrums. Ich sprintete an ihm vorbei zum Wagen. Das Telefon piepte, als ich den Olds erreichte.
»Wir fahren zum Mile-High-Stadion«, sagte Tony am anderen Ende. »Am Südende der Osttribüne sind Telefonzellen.«
Wir rasten auf der Wadsworth Street in Richtung Norden und überholten Tony und Angela noch vor der Sixth Avenue.
»Wie lange soll das eigentlich noch so gehen?« fragte Rivers.
»Keine Ahnung«, erwiderte ich wortkarg.
»Glauben Sie, es hat noch jemand außer Ihnen das Telefon im Einkaufszentrum beobachtet?«
»Schon möglich.«
Ich fuhr die Sixth Street nach Osten und dann in nördlicher Richtung auf die Seventeenth Avenue. Von dort bog ich nach rechts ab und lenkte den Olds bergab zwischen den Parkplätzen für das Mile-High-Stadion und der McNichols-Arena hindurch.

Auf der Bryant Street an der Südostecke des Stadion-Parkplatzes stand ein Stop-Schild. Ich nutzte die Haltepflicht, um das Terrain zu sondieren.
Links hinter mir erhob sich dunkel und stumm das leere Stadion mit dem riesigen weißen, sich aufbäumenden Mustang über der Süd-Tribüne. Der gesamte Komplex war von einem zwei Meter fünfzig hohen Drahtzaun umgeben. Am Südende der Osttribüne und auf dieser Seite des Zauns befanden sich mehrere Telefonzellen. Zwischen mir und den Telefonen lagen etliche Quadratmeter Parkplatz. Der Parkplatz war von einer hüfthohen Eisenkette abgegrenzt, die von zahlreichen Drehkreuzen unterbrochen wurde. An Sonntagen war der Parkplatz voller Busse mit orangerot gekleideten Fans. Jetzt war er eine gigantische, leere, weiße Fläche.
Ich fuhr über die Bryant Street zur Unterführung auf der I-25. Auf dem Highway herrschte reger Dienstagabendverkehr. Die Straße machte eine leichte Biegung nach rechts und führte in eine Linkskurve unter der Schnellstraße hindurch. Dahinter verlief sie weiter nach Norden zwischen Schnellstraße und dem Ufer des Platte River hindurch. Ich fuhr auf den langen, schmalen Parkplatz über dem Fahrradweg am Fluß. Dann wendete ich den Olds, so daß seine Kühlerhaube zur Überführung über den Highway zeigte, die gut hundert Meter entfernt lag.
Rivers und ich warteten. Die Brückentrasse der Schnellstraße, über die ein endloser Verkehrsstrom floß, verhinderte einen ungehinderten Blick auf den Parkplatz des Stadions. Dahinter ragten die Flutlichtanlagen des Stadions wie Ruinen einer toten Stadt in den Nachthimmel.
Es verstrichen gut fünfzehn Minuten.
Dann piepte das Telefon. Ich hob ab.
»Es ist soweit«, begann Tony. »Angela soll die Tasche aus dem Wagen stellen und nach Hause fahren. Wenn das Geld vollzählig ist, gibt's keine Probleme. Er ruft uns an und sagt uns, wo Stephanie ist.«
Okay, Tony. Bringen Sie Angela nach Hause. Ich . . .«
»Wofür halten Sie mich!« schimpfte er. »Ich fahre jetzt los. In Ordnung. Aber ich bleibe verdammt noch mal in der Nähe!«
»Verdammt, wenn die Sie sehen, dann . . .«
»Die sehen mich nicht. Wo sind Sie?«
»Auf der stadteinwärtsführenden Seite der Schnellstraße.«

»Okay«, sagte Tony. »Dann übernehme ich die Westflanke vom Stadion. Tun Sie, was Sie tun müssen, Lomax.«
Im nächsten Moment war die Leitung tot.

27

Ich gab Gas. Rivers hatte ich völlig vergessen. Unter der Schnellstraße hielt ich an.
»Steigen Sie lieber aus«, riet ich ihm. »Warten Sie hier.«
»Aber ...«
»Los, schnell!«
Rivers zögerte. Dann griff er nach seinem Jagdgewehr auf dem Rücksitz und stieg aus.
»Was soll das?« fragte ich.
»Vielleicht kann ich helfen« erwiderte er.
Ich hatte keine Zeit mehr, ihm sein Spielzeug abzunehmen.
»Bleiben Sie hier, Rivers. Halten Sie sich da um Gottes willen raus!«
Ich fuhr bis zum Stop-Schild. Dort bog ich nach rechts auf die Bryant Street ab. Stadion und Parkplatz lagen zu meiner Linken, die Brückentrasse der Schnellstraße erhob sich zu meiner Rechten.
Der Stadionparkplatz war gähnend leer. Rivers' BMW mit Tony und Angela war nirgends zu sehen. Vor den Telefonzellen erkannte ich einen dunklen Gegenstand im Schnee ... der Köder, eine Sporttasche voller Geld. Ich fuhr noch ein gutes Stück am Stadion vorbei, schaltete die Scheinwerfer aus, wendete und hielt an.
Links von mir, auf der Schnellstraße, dröhnte der Verkehr. Auch über den Federal Boulevard zog eine endlose Kette von Fahrzeugen am Stadion vorbei. Nur unten bei mir herrschte Friedhofsruhe.
Ich wählte die Nummer von Rivers' Wagen. Angela meldete sich.
»Wo ist Tony?«
»Keine Ahnung«, erwiderte sie. »Ich kann ihn nirgends sehen. Er ist in Richtung Stadion gerannt. Ich habe Angst, Mr. Lomax. Vielleicht ...«
»Wo sind Sie?«
»Ein paar Blocks weiter auf der Seventeenth.«
»Gut, rühren Sie sich nicht vom Fleck«, sagte ich. »Und bleiben Sie im Wagen.«
In diesem Augenblick tauchte im Südosten des Parkplatzes ein neueres Fordmodell auf.

Ich legte den Hörer auf und griff nach meiner Waffe.
Der Ford raste mit hoher Geschwindigkeit auf die Telefonzellen zu. Ich legte einen niedrigen Gang ein, nahm die nächste Parkplatzzufahrt und rollte quer über den Platz, ebenfalls in Richtung Telefonzellen. Der Ford erreichte die Telefonzellen weit vor mir und kam mit qietschenden Reifen zum Stehen. Die Tür zum Beifahrersitz flog auf, ein Mann beugte sich halb heraus und griff nach der Sporttasche. Ich war mit dem Olds bis auf fünfzig Meter herangekommen. In diesem Augenblick schaltete ich die Scheinwerfer ein. Bruno Tartalia blinzelte in den grellen Lichtschein und verharrte einen Moment in seiner Bewegung.
Dann packte er die Tasche, zog sie ins Wageninnere und schlug die Tür zu. Der Ford legte mit durchdrehenden Reifen einen Kavaliersstart hin.
Ich drückte die Arme durch, stemmte mich gegen das Steuer, trat auf das Gaspedal und lenkte den Olds geradewegs auf Kollisionskurs. Sekunden später krachte ich mit dem Olds frontal in den Kofferraum des Fords. Mein Wagen verhakte sich in der Stoßstange des anderen und schob diesen geradewegs in die Telefonzellen. Der ganze Haufen Schrott landete schließlich im Drahtzaun des Parkplatzes, der sich wie ein Tierfängernetz über die Kühlerhaube des Fords legte.
Die Wucht des Aufpralls mußte mich kurzzeitig benommen gemacht haben, denn ich sah plötzlich alles in Zeitlupe.
Bruno kletterte aus dem Ford, die Sporttasche in der einen, eine schwere Maschinenpistole in der anderen Hand. Ich kämpfte mit der Türverriegelung. Das Mündungsfeuer von Brunos Waffe blitzte auf, und im nächsten Moment zersplitterte vor mir die Windschutzscheibe. Ich rollte aus dem Olds und auf den schneebedeckten Asphalt. Die Waffe im Anschlag riskierte ich einen Blick über die Motorhaube. Bruno sah mich sofort und schoß zuerst. Im nächsten Augenblick wurde seine Mantelbrust von einer blutigen Eruption zerfetzt, und den Bruchteil einer Sekunde später erst hallte das Peitschen von Rivers' Jagdgewehr durch die Stille. Bruno sackte tot gegen den Ford.
Johnny Toes Burke war bereits vom Fahrersitz des Fords nach draußen gesprungen. Die Waffe in der Hand rannte er um sein Leben in Richtung Westflanke des Stadions, wobei er heftig sein rechtes Bein nachzog. Ich setzte ihm nach.
Johnny Toes war kaum zwanzig Meter weit gekommen, als Tony

direkt vor ihm aus dem Lichtschatten trat. Johnny Toes feuerte ziellos, dann ließ er die Waffe fallen und hob die Arme.
»Ich gebe auf!« verkündete er.
Tony schoß.
Johnny Toes stieß einen schrillen Schrei aus, hielt sich die Seite und fiel auf die Knie. Tony und ich liefen zu ihm. Tony hielt ihm die Pistole an die Schläfe.
»Tun Sie's nicht!« keuchte ich.
Tony beachtete mich nicht. »Sie haben noch zehn Sekunden zu leben. Wo ist Stephanie?«
Johnny Toes wiegte den Oberkörper vor und zurück und jammerte: »Himmel, ich bin getroffen. Holt einen Arzt!«
»Wo ist Stephanie? Reden Sie, Mann, oder ich puste Ihnen die Birne weg!«
Tony meinte, was er sagte. Ich trat zwischen ihn und Toes.
»Legen Sie die Waffe weg!«
»Ich bringe dieses Schwein . . .«
»Wenn Sie das tun, finden wir Stephanie nie.«
Tony steckte zögernd die Waffe ein. Dabei sah ich plötzlich, daß sein linkes Hosenbein blutdurchtränkt war. Ich drehte mich nach Rivers um. Er lief mit federnden Schritten quer über den Parkplatz auf uns zu. Gleichzeitig raste der weiße BMW die Seventeenth hinunter. Angela lenkte den BMW durch die Parkplatzausfahrt, hielt kurz an, um Rivers aufzunehmen und fuhr bis zu Tony und mir. Angela sprang aus dem Wagen und rannte auf Tony zu. Rivers kletterte vom Beifahrersitz.
»Rufen Sie 911 an!« befahl ich ihm. »Wir haben zwei Verwundete. Beeilen Sie sich!«
»Okay, Johnny« wandte ich mich wieder Toes zu. »Willst du reden oder hier elend verbluten?«
»Wir hatten das Mädchen gar nicht. Nicht eine Sekunde. Das schwöre ich. Ruft einen Arzt!«
»Wo ist sie?« fragte Angela flehentlich.
»Rede, Johnny!« drängte ich. »Dann ist in ein paar Minuten die Ambulanz da!« Ich machte Rivers Zeichen. Er stieg in den Wagen, um zu telefonieren. »Wo ist Stephanie?«
»Auf einer Farm bei Wray. Oh, Mann! In irgendeiner religiösen Kommune.«
»Du lügst!« sagte ich. »Ich bin vor ein paar Tagen dort gewesen. Sie war abgereist.«

»Nein, sie ist dort.«
»Woher weißt du das? Woher weißt du überhaupt, daß sie je dort gewesen ist?«
»Ein Typ den ich kenne ... ein Junkie hat's mir gesagt. Er heißt Dexter.«
Ich erinnerte mich sofort an den Namen. Reverend Lacey hatte von einem Dexter gesprochen, der die Kommune an dem Tag verlassen habe, als ich dort gewesen war.
Johnny Toes berichtete stockend und stöhnend Dexters Geschichte. Dexter hatte seinen Stoff stets durch Johnny Toes bezogen. Sein Versuch, bei Lacey in Wray clean zu werden, war an den harten Bedingungen auf der Farm gescheitert. Vor seiner Abreise jedoch hatte er den gemeinsamen Spartopf der Kommune mitgehen lassen, den Lacey verwaltete. In diese Kasse zahlte jeder Neuankömmling Bargeld, Schmuck oder andere persönliche Wertgegenstände ein.
Mit dieser Beute hatte Dexter nach seiner Rückkehr nach Denver die dringend benötigte Drogenration bei Johnny Toes bezahlt. Unter anderem eben auch mit Stephanies Ring. Johnny Toes hatte die Inschrift sofort erkannt und Dexter nach Stephanie befragt. Danach war zusammen mit Bruno die Idee entstanden, Stephanies Entführung vorzutäuschen.
»Glauben Sie, er sagt die Wahrheit?« fragte Rivers unvermittelt hinter mir.
Ich zuckte die Schultern. »Ich habe die Ranch gründlich durchsucht«, sagte ich zu Johnny Toes. »Wo soll Stephanie versteckt gewesen sein?«
»Woher zum Teufel soll ich das wissen?« Er stöhnte laut.
Vielleicht hatte Rachel Wynn recht gehabt. Vielleicht gab es doch ein geheimes Versteck in diesem Haus.
»Ich nehme Ihren Wagen, und fahre heute nacht noch nach Wray«, erklärte ich Rivers. »Sie bleiben hier und regeln das mit der Polizei.«
»Ist es nicht besser, ich fahre mit Ihnen?« widersprach Rivers. »Für den Fall, daß Lacey und seine Leute Schwierigkeiten machen.«
»Mit denen werde ich allein fertig«, wehrte ich ab. »Außerdem haben Sie Bruno erschossen, Rivers. Die Polizei will sicher Einzelheiten wissen. Könnte ins Auge gehen, wenn Sie sich nicht zur Verfügung halten.«
»Na gut, dann bleibe ich.«

»Bitte, verlieren Sie keine Zeit!« drängte Angela.
Johnny Toes war ein Bild des Jammers. Ich warf einen letzten Blick auf ihn, dann lief ich zum Wagen. Plötzlich tauchte Rivers auf.
»Bevor Sie losfahren, sollten Sie etwas wissen.«
»Was?«
Er sah sich nach Tony und Angela um. Die beiden sollten wohl nicht hören, was er zu sagen hatte. Er ging um den Wagen herum und kletterte auf den Beifahrersitz. Die Tür blieb offen. Ich setzte mich hinters Steuer.
»Was gibt's?« begann ich und starrte plötzlich in die Mündung eines M-16 Sturmgewehrs.
Rivers hatte den Finger am Abzug.
»Je eine solche Waffe gesehen?« fragte er beiläufig.
»Nicht aus der Nähe.«
»Aber Sie haben gesehen, was es aus Bruno gemacht hat?«
»Stimmt.«
»Dann schließen Sie Ihre Tür und legen Sie die Hände aufs Steuer.«
Ich gehorchte. Die Mündung des Sturmgewehrs wurde mir unsanft in die Rippen gestoßen.
»Ganz ruhig bleiben«, bemerkte Rivers lässig. »Wir machen nur einen kleinen Ausflug. Eine falsche Bewegung, und Sie sind ein toter Mann. Verstanden?«
»Mehr oder weniger.«
Rivers beugte den Kopf aus dem Fenster, ohne daß der Druck des Gewehrs in meinen Rippen nachgelassen hätte.
»Mr. Lomax hat mich jetzt doch gebeten, ihn zu begleiten!« rief er den anderen zu. »Wir sind so schnell wie möglich zurück. Sagen Sie der Polizei lieber vorerst nicht, wo wir sind. Nicht solange Stephanie nicht in Sicherheit ist.«
Ich beobachtete Angela und Tony durch die dunkelgetönte Windschutzscheibe. Sie wirkten verunsichert. Rivers winkte ihnen und schlug die Autotür zu.
»Los, fahren wir, Lomax!« sagte er zu mir.
Ich fuhr.

28

Wir verließen den Parkplatz.
Rivers hielt mich mit dem M-16 in Schach. Er dirigierte mich unter der Schnellstraße hindurch und befahl mir, auf den langen, schma-

len Parkplatz am Platte River zu fahren. Ich bezweifelte inzwischen, daß er Polizei und Ambulanz verständigt hatte.
»Licht und Motor aus!« forderte er knapp.
Rivers griff mit der Linken ins Handschuhfach und holte mehrere Plastikbänder heraus, die die Polizei bei Großeinsätzen statt Handschellen verwendet.
»Hat Ramon Quinteras Ihnen die Dinger als Zugabe bei Ihrem Waffendeal gegeben?« fragte ich.
Er grinste. »Soweit waren Sie also schon?«
»Ja, nur leider zu spät.«
»Richtig, Lomax. Zu spät. Umdrehen, Gesicht gegen das Fenster und Hände auf den Rücken!« befahl er.
Rivers fesselte mich. »Um auf Ihre Frage zurückzukommen. Die Dinger stammen nicht von Quinteras. Ich habe sie von der Kripo in Denver bekommen, als ich mein Special über Drogen-Razzien gefilmt habe.«
»Und in welchem Special kam Ramon Quinteras vor?«
»Bei dem über illegale Waffengeschäfte natürlich.«
Minuten später hatte er mir die Magnum aus dem Schulterhalfter genommen, und ich saß eng mit dem Sicherheitsgurt an den Beifahrersitz geschnallt neben ihm. Ich konnte gerade noch Kopf und Beine bewegen.
Rivers fuhr den BMW vom Parkplatz und zur Auffahrt auf die I-25 in Richtung Norden. Der BMW glitt unauffällig in den dichten Verkehrsstrom. Rivers hielt sich strikt an die Geschwindigkeitsbegrenzung.
»Die I-25 ist doch richtig, oder?« fragte er schmunzelnd.
»Warum haben Sie die Bombe in Stephanies Wagen gelegt?« wollte ich wissen, ohne auf ihn einzugehen. »Ist das Mädchen eine solche Bedrohung für Sie?«
»Ja.«
»Sie kann Ihnen schaden?«
»Sie kann mich ruinieren.«
»Es hat etwas mit Ihnen, Ihrer Frau und dem Baby in Big Pine zu tun, stimmt's?«
»Es hat alles damit zu tun.«
»Darf ich raten?« Der kleine Thomas Rhynsburger ist nicht am plötzlichen Kindstod gestorben. Und Stephanie hat das herausbekommen.«
»Richtig.«

»Was ist passiert?«
Er zuckte die Achseln. Dann sah er das Hinweisschild auf die I-25. Er wechselte auf die rechte Fahrspur, fuhr stadtauswärts und weiter in Richtung Nordosten.
»Ich ... habe meinen Sohn getötet«, sagte er. »War natürlich ein Unfall«, fügte er hastig hinzu. »Er hat geschrien, unaufhörlich gebrüllt wie immer, und meine Nerven waren zum Zerreißen gespannt ... Ich stand damals unter unvorstellbarem beruflichem Druck ...«
Rivers hatte automatisch das Gaspedal durchgedrückt und bremste jetzt ab.
»... am Wendepunkt meiner Karriere«, fuhr er ruhiger fort. »Ich brauchte Zeit zum Nachdenken. Deshalb bin ich mit meiner Familie zum Ausspannen nach Big Pine gefahren. Aber das Kind hat praktisch vom ersten Augenblick an gebrüllt ... Zwei Tage lang ging das so. Irgendwann habe ich ihn geschlagen ... Nicht hart ... Ich wollte nur, daß er aufhören sollte. Statt dessen wurde es nur noch schlimmer. Irgendwann habe ich die Beherrschung verloren ...«
»Und ihn anschließend in die Praxis von Dr. Early gebracht.«
Rivers holte tief Luft. »Er hatte Blutergüsse und Quetschungen und atmete nicht mehr. Ich geriet in Panik. Meine Frau war hysterisch ...«
»Warum hat Ihre Frau die Wahrheit verschwiegen?«
»Erstens weil sie mich liebt. Zweitens, weil ich ihr klargemacht habe, daß sie sich der Beihilfe mitschuldig gemacht hat. Sie weiß mittlerweile, daß sie ebenfalls im Gefängnis landet, wenn sie redet. ›Kindesmißhandlung mit Todesfolge‹ ist ein schwerwiegendes Vergehen.«
»Verstehe.«
»Sie ist sowieso seit damals praktisch ein Fall für die Klapsmühle.«
»Gratuliere.«
»Jedenfalls haben wir Thomas in die Klinik gebracht, aber es war zu spät.«
»Und Stephanie war dort und hat das Baby gesehen.«
»Ja. Wir konnten kaum verheimlichen, was mit dem Kind passiert war. Aber zu diesem Zeitpunkt war ich viel zu erregt, um mir deswegen Gedanken zu machen. Dr. Early, meine Frau und ich hatten ein langes Gespräch. Er war mit uns der Meinung, daß Thomas

auch nicht mehr lebendig wird, wenn wir die Polizei einschalten. Er verstand unsere Sorge und Trauer und war sehr mitfühlend. Also hat er den Totenschein gefälscht.«

»Einer für alle und alle für einen. Sie entgingen der Verhaftung und er bekam zehntausend Dollar.«

»Woher ...«

»Ich habe mir Earlys Bücher angesehen.«

Rivers lachte. »Mein Gott, er hat das sogar verbucht?«

»Als anonyme Spende«, klärte ich ihn auf. »Warum haben Sie Early erschossen?«

Sein Lachen verschwand. »Weil er mich einen Monat später angerufen und noch mehr Geld verlangt hat. Das war schlicht Erpressung. Ich habe getan, was ich tun mußte.

»Und danach haben Sie sich auf die Suche nach Stephanie gemacht?«

»Überhaupt nicht. Ich hatte das Mädchen völlig vergessen ... bis zu dem Tag, als sie in den Friseurladen ihres Vaters stürmte und herumschrie, wir gehörten alle ins Gefängnis. Und als sie mich dann sah, sind wir beide in Panik geraten.«

»Also haben Sie einen Sprengsatz in ihren Wagen gelegt.«

Rivers nickte.

»Darf ich mal fragen, warum es ausgerechnet eine Autobombe sein mußte?«

»Erstens, weil ich das Material dazu nun schon mal hatte. Quinteras hatte mir das Zeug ein Jahr zuvor praktisch als Paket verkauft: Das M-16 Sturmgewehr mit Munition, einige Minen, Handgranaten und so weiter. Zweitens schien mir der Sprengsatz die sicherste Art zu sein, sie zu töten, ohne daß der Verdacht auf mich fallen würde. Bellano hatte angebliche Verbindungen zur Mafia. Also mußte die Polizei annehmen, die Bombe sei für ihn bestimmt gewesen.«

»War das nicht naiv?«

»Warum? Hätte alles blendend funktioniert, wäre Stephanie nicht weggelaufen. Alle, einschließlich Joe, hätten angenommen, daß sie in ein, zwei Tagen wieder zu Hause sein würde. Es war einfach Pech, daß sie nicht wieder aufkreuzte, und Bellano ihren Wagen nehmen wollte.«

Wir fuhren einige Kilometer schweigend weiter.

»Ich nehme an, daß Sie auch die Landmine in Mitch Overholsers Wagen geschmuggelt haben?«

»Die Gelegenheit war einfach zu günstig. Als ich erfuhr, daß er verhaftet worden war, bin ich sofort zu seinem Haus gefahren. Man wird ihn für den Mord an Bellano verurteilen. Vorausgesetzt, heute nacht geht alles glatt.«
»Hören Sie, Rivers, geben Sie auf. Sie sind doch sowieso am Ende.«
»Bin ich nicht.« Er glaubte tatsächlich daran.

Kurz vor Mitternacht erreichten wir Wray.
Am Himmel stand ein klassischer Halbmond. Sein fahles Licht fiel auf die Schneefelder und die Schattenrisse der verstreut liegenden menschlichen Behausungen. In den vergangenen Stunden hatte ich hartnäckig versucht, mich von den Plastikbandagen an meinen Handgelenken zu befreien, mir jedoch nur die Haut wund gerieben.
Rivers hielt an einer Tankstelle, tankte den BMW auf und ließ sich den Weg zur Kirche der Bußfertigen beschreiben.
Vierzig Minuten später hatten wir die unbefestigte Straße erreicht, die zur Kommune und Stephanie Bellano führte.
Rivers sah die Toreinfahrt zu spät, mußte zurücksetzen, fuhr vor das Gitter und hielt an. Es war durch das übliche Vorhängeschloß verschlossen. In der Ferne war isoliert inmitten weiter Schneefelder der Farmkomplex zu sehen. Im Haupthaus brannte Licht.
»Wie viele Leute sind auf der Farm?« wollte Rivers wissen.
»Ungefähr zehn.«
»Gut. Also, entweder Sie helfen mir, Stephanie dort rauszuholen, oder ich bringe alle um, und Sie natürlich auch, Lomax. Und glauben Sie ja nicht, daß ich es allein nicht mit allen aufnehmen kann. Sie sollten die Schätze sehen, die ich noch im Kofferraum habe.«
Ich schwieg.
»Der andere Weg allerdings wäre mir lieber«, fuhr er fort. »Ein solches Gemetzel ist schwierig zu erklären. Für die einfachere Lösung brauche ich Ihre Hilfe. Und Sie haben Gelegenheit, einige Menschenleben zu retten.«
»Angenommen, es gelingt mir, das Mädchen dort rauszuholen? Was geschieht mit Stephanie und mir?«
»Ich hatte da an einen tragischen Autounfall gedacht, bei dem Sie beide umkommen und ich wie durch ein Wunder gerettet werde. Keine Angst. Ich sorge dafür, daß Sie vorher bewußtlos sind. Ich bin kein Sadist. Es liegt ganz bei Ihnen.«
So krank diese Theorie auch war, er hatte recht.

»Woher wollen Sie wissen, daß Stephanie mir vertraut und mitkommt?«
»Das ist Ihr Problem«, antwortete er. »Sagen Sie ihr, ihre Mutter liege im Sterben oder so was. Also was ist? Sind Sie dabei?«
»Ja«, antwortete ich zwangsläufig.
Rivers stellte den Motor ab und zog den Zündschlüssel heraus. Dann stieg er aus, öffnete den Kofferraum, nahm einen schweren Radmutterschlüssel heraus und brach damit das Vorhängeschloß auf. Nachdem er das Werkzeug wieder im Kofferraum verstaut hatte, öffnete er die Tür und löste meinem Sicherheitsgurt.
»Setzen Sie sich ans Steuer.«
Ich rutschte rüber. Rivers griff sich meine Magnum aus dem Handschuhfach, kletterte auf den Rücksitz und machte die Tür zu.
»Was haben wir zu erwarten, wenn wir dort ankommen?« wollte er wissen.
»Jedenfalls keine Willkommensparty.«
»Haben sie Schußwaffen?«
»Das bezweifle ich. Das bedrohlichste, was ich gesehen habe, war eine Axt.«
»Ihr Glück. Sobald wir das Haupthaus erreicht haben, hupen Sie, bis jemand herauskommt. Wenn Stephanie dabei ist, hervorragend. Dann steigen Sie aus, schnappen sie sich und wir fahren ab. Andernfalls schicken Sie jemanden ins Haus, der sie holen soll. Aber sorgen Sie dafür, daß zumindest einer dieser Jesusjünger bei Ihnen bleibt. Eine falsche Bewegung und ich erschieße Sie und Ihre Geisel. Dann gehe ich rein und erledige den Rest. Ist das klar?«
»Vollkommen.«
»Sobald Stephanie im Wagen ist, fahren wir zu dritt ab.«
»Klingt einfach.«
»Das sollte es auch bleiben, Lomax. Sonst bin ich der einzige, der hier lebend davonkommt. Beugen Sie sich vor!« Er nahm mir die Fesseln ab und gab mir den Autoschlüssel.
»Fahren wir!«
Ich lenkte den BMW die ausgefahrene Zufahrt entlang zur Farm. Noch bevor wir das Haus erreicht hatten, flammten mehrere Lichter im Haupthaus auf. Reverend Lacey trat aus der Seitentür ins Freie. Er trug Bademantel und Pyjamahose und blinzelte in das grelle Scheinwerferlicht. Hinter ihm tauchten zwei weitere Männer auf. Es waren die beiden, die mich vor Tagen empfangen hatten. Der Bärtige hielt die vertraute Axt in der Hand.

Ich schaltete den Motor aus.
»Los jetzt«, befahl Rivers und drückte mir den Lauf des M-16 Sturmgewehrs in den Rücken. »Und nicht vergessen! Ich kann ungefähr vier von euch in drei Sekunden erledigen.«
»Ich werd's mir merken.«
Ich stieg aus und zog dabei lautlos den Zündschlüssel ab. Als ich die Tür zuschlug und zurücksah, registrierte ich, daß Rivers sein Fenster einen Spaltbreit geöffnet hatte.
»Setzen Sie sich wieder in den Wagen und hauen Sie ab!« schrie Lacey mir aus zehn Metern Entfernung zu. »Das ist Hausfriedensbruch!« Sein Gesicht war rot im goldenen Schein der Scheinwerfer.
»Halten Sie den Mund und hören Sie zu!« sagte ich so laut, daß jeder es verstehen konnte. »Wir sind wegen Stephanie Bellano gekommen. Und wir fahren nicht ohne sie wieder ab. Mein Partner im Wagen ruft sofort den Sheriff an, wenn Sie nicht kooperativ sind.«
»Ich dachte, das hätten wir hinter uns!« rief Lacey.
»Weit gefehlt.« Ich ging auf ihn zu, bis ich ihm dicht gegenüberstand. Die nächsten Worte waren nur für seine Ohren bestimmt: »Der Mann im Wagen ist der Mörder von Stephanies Vater. Im Augenblick hat er ein Sturmgewehr auf uns gerichtet.«
»Was?«
»Sehen Sie mich an, Reverend, nicht den Wagen. Sie müssen mir glauben. Sonst sind wir alle tot. Sehen Sie mich an, Lacey. Er ist der Mann, vor dem Stephanie sich versteckt. Er ist ein Mörder und will Stephanie. Er ist entschlossen, uns alle umzubringen.«
»Wenn das ein Trick ist ...«
»Verdammt, Lacey!«
Wir maßen uns mit Blicken.
»Was ... was sollen wir tun?« fragte Lacey schließlich.
»Das Versteck von Stephanie ... ist es im Haus?«
Er zögerte. »Ja.«
»Ist dort Platz für alle von euch?«
»Ja.«
»Okay. Dann veranlassen Sie, daß Ihre beiden Freunde sämtliche Hausbewohner dorthin in Sicherheit bringen. Und zwar schnell.«
Lacey wandte sich an die beiden jungen Männer. Er befahl ihnen, alle in den Raum hinter dem Vorratskeller zu schicken. Ich sah zu den dunkelgetönten Scheiben des BMWs zurück und hob den Daumen. Ich hoffte Rivers damit zu beruhigen.

»Was ist mit uns beiden?« fragte Lacey.
»Wie lange brauchen die anderen, um sich zu verstecken?«
»Ein paar Minuten.«
»Wir geben ihnen eine«, antwortete ich und erklärte ihm meinen Plan.
Als die Minute um war, wandten wir uns beide der offenen Tür zu.
»Alles in Ordnung, Stephanie! Du kannst herauskommen«, rief Lacey laut in die Türöffnung. »Komm jetzt raus!«
Dann hechteten wir zur Tür. Lacey landete als erster auf dem Fußboden, ich folge ihm dichtauf. Wir robbten auf dem Bauch in Richtung Küche, als die erste Salve aus Rivers' Gewehr über uns hinwegpeitschte, den Türrahmen zersplitterte, die Schranktür zerfetzte und Tongefäße auf der Küchentheke in Stücke riß. Lacey schaffte es bis zur Kellertür, ging hinein und machte sie hinter sich zu. Ich rannte durch die Küche und riskierte einen Blick aus dem Fenster.
Rivers hatte den BMW verlassen. Die Windschutzscheibe war zersplittert. Er knallte einen frischen Munitionsstreifen in das M-16.
Ich lief durch mehrere Räume zum rückwärtigen Teil des Hauses, öffnete das Fenster und sprang in den Schnee.
Ich hatte keine Ahnung, was Rivers tun würde. Es war ihm zuzutrauen, daß er das Haus anzündete und versuchte, alle auszuräuchern.
Ich schlich geduckt an der Hauswand entlang und spähte um die Ecke. Der BMW war noch zwanzig Meter entfernt. Der Kofferraum war geschlossen. Rivers hatte demnach keinen Zweitschlüssel. Das Schloß mit einem Schuß zu öffnen war zu riskant für ihn. Der Benzintank des BMWs befand sich direkt darunter.
Ich hielt den Atem an und horchte.
Bis auf das Muhen der Kühe im Stall war es totenstill.
Ich rannte geduckt zum Wagen und öffnete mit dem Zündschlüssel den Kofferraum.
Er sah leer aus.
Ich zog die Klappe zur Seite, unter der der Ersatzreifen lag. Zusammen mit dem Reifen steckte ein kleiner olivgrüner Sack in der Öffnung. Er enthielt zwei Handgranaten. Ich zog das Säckchen gerade heraus, als Rivers am Küchenfenster auftauchte. Er sah mich und schwenkte den Lauf seines Sturmgewehrs in meine Richtung. Ich sprang neben dem Wagen in Deckung. Die Seitenfenster über mir explodierten förmlich und regneten in handlichen Krümeln auf mich herab.

Im Freien zu bleiben, war tödlich. Die Möglichkeiten Deckung zu finden, waren beschränkt. Mein Blick schweifte über die Farmgebäude. Stall. Kirche. Gewächshaus. Hühnerstall. Garage. Das Säckchen in meiner Hand enthielt meine einzigen beiden Chancen Rivers auszuschalten. Wenn ich ihn verfehlte ...
Positiv denken, Lomax, sagte ich mir. Bete, wenn nötig.
Ich duckte mich und sprintete zur Kapelle.
Rivers schoß nicht. Hatte er keine Munition mehr? Unwahrscheinlich.
Ich erreichte unbehelligt die Kapelle und schlug die Tür hinter mir zu. Diese Tür war der einzige Ein- und Ausgang. Daneben gab es nur noch das Fenster hoch oben über der Kanzel. Fahles Mondlicht fiel von dort herein. Ich lief den Mittelgang zwischen den Kirchenbänken mit den hohen Lehnen entlang, sprang mit einem Satz auf das Podium und duckte mich hinter die hölzerne Kanzel. Dann nahm ich die Granaten aus dem Sack. Sie lagen glatt, kalt und schwer in meiner Hand.
Ich wartete.
Die Tür zur Kapelle ging leise knarrend auf.
Stille.
Im nächsten Moment peitschte eine Salve Blei durch die Luft. Ein Geschoß schlug in die solide Kanzel ein und riß ein faustgroßes Stück Holz aus einer Ecke.
Die Detonation verhallte nur langsam.
Die Lichter flammten auf. Ich blinzelte in die Helligkeit und entsicherte die erste Handgranate.
Als ich über den Kanzelrand spähte, sah ich Rivers vorsichtig näherkommen. Sein Blick schweifte prüfend in jede Bankreihe. Dann entdeckte er mich und riß das Gewehr hoch. Ich warf die Granate in einem hohen Bogen über ihn, so daß sie hinter ihm und direkt vor der Tür detonieren mußte. Rivers sah das, feuerte auf mich und taumelte in panischer Hast parallel zur direkten Fluglinie der Granate rückwärts. Als er seinen Fehler erkannte, hechtete er seitlich in die hintere Ecke der Kapelle. Dorthin schleuderte ich mit aller Kraft die zweite Granate und ließ mich hinter die Kanzel zurückfallen. Nur Bruchteile von Sekunden später detonierte die erste Granate. Ein Splitter schlug in die Kanzel. Dann ertönte ein Schrei. Er wurde durch die zweite Detonation erstickt.
Ich sah vorsichtig in Richtung Rivers.
Er war nirgends zu sehen.

Ich richtete mich auf und ging den Mittelgang entlang. Ein brandiger Geruch hing in der Luft. Ich entdeckte einen häßlichen roten Schmierfleck in der hinteren Ecke auf dem Fußboden. Ich ging darauf zu.
Rivers lag auf dem Boden, Schultern und Kopf lehnten an der Wand. Seine Kleider waren zerfetzt und blutdurchtränkt. Das M-16-Gewehr lag zu seinen Füßen. Rivers hatte die Augen aufgerissen . . . ohne etwas zu sehen.
Zumindest in diesem Leben nicht mehr.

29

Ich wischte Glassplitter von den Vordersitzen in Rivers' Wagen und rief das Büro des Sheriffs an.
Dann ging ich ins Haus und die Kellertreppe hinunter. Bis auf Regale mit Eingemachtem war der Kellerraum leer. Ich rief laut nach Reverend Lacey und seiner Gemeinde.
Ein Teil des Regals schwang auf. Dahinter kam ein weiterer, aber kleinerer Raum zum Vorschein, in dem sich die Gemeinde der Bußfertigen drängte.
Einer nach dem anderen kam vorsichtig heraus. Lacey war der letzte. Er schob ein junges Mädchen vor sich her. Sie trug ein schlichtes Baumwollkleid und einen ausgewaschenen Pullover. Sie hatte große, dunkle Augen und langes schwarzes Haar.
»Stephanie Bellano?«
»Ja«, antwortete sie mit klarer, ruhiger Stimme.
»Ich habe leider schlechte Nachrichten für Sie. Ihr Vater ist tot.«
Lacey und ich gingen mit ihr die Treppe hinauf und in die Küche. Eine der jungen Frauen hatte bereits Teewasser aufgesetzt. Ich ließ mich neben Stephanie an dem langen Holztisch nieder.
»Mein Vater«, begann sie. »Wie ist das . . .?«
»Ein paar Tage, nachdem Sie davongelaufen waren, hat Gary Rivers ihn umgebracht.« Ich berichtete in knappen Worten, was in den vergangenen beiden Wochen geschehen war. Sie nahm es besser auf als erwartet. Entweder war sie eine starke Persönlichkeit, oder das Leben in der Kommune hatte ihr Kraft gegeben.
»Wie geht es meiner Mutter?«
»Sie macht sich Sorgen um Sie«, antwortete ich.

»Wenn ich das gewußt hätte, wäre ich längst nach Hause gekommen.« Sie sah von Lacey zu mir. »Als Sie das erste Mal hiergewesen sind . . .?«
»Ja, er hat es mir gesagt«, fiel Lacey ihr niedergeschlagen ins Wort. »Ich wußte, daß dein Vater tot ist. Aber ich wollte nur dein Bestes. Du wärst sofort nach Denver gefahren. Und das konnte ich nicht riskieren. Du warst in Gefahr. Ich habe niemandem getraut, nicht einmal Mr. Lomax. Falls ich falsch gehandelt habe, entschuldige ich mich.«
Stephanie lächelte und berührte seinen Arm.
»Danke.« Sie wandte sich an mich. »Ich möchte jetzt nach Hause.«
Ich hatte nichts dagegen. Zuerst allerdings mußten wir auf die Polizei warten.

In den folgenden Tagen gestand Roman Quinteras den Überfall auf das Waffendepot und den Verkauf eines Teils der Beute an Gary Rivers.
Mrs. Gary Rivers erlitt einen Nervenzusammenbruch. Sie gestand, vom gewaltsamen Tod ihres Sohnes gewußt zu haben. Angesichts ihres besorgniserregenden Geisteszustandes verzichtete der Staatsanwalt darauf, Anklage gegen sie zu erheben.
Die Mordanklage gegen Mitch Overholser wurde fallen gelassen. Für seine Mitwirkung bei der Zerstörung von Bellanos Disketten allerdings mußte er geradestehen.
Fat Paulie kam mit einem blauen Auge davon. Wenige Tage vor Weihnachten wurde er zu einer größeren Geldstrafe verurteilt.
Johnny Toes Burke hatte weniger Glück. Sobald er sich von seiner Schußverletzung erholt hatte, sollte er wegen Erpressung der Witwe Bellano vor Gericht gestellt werden.
Angela war über Stephanies Rückkehr überglücklich. Natürlich mußte Stephanie einige deprimierende Details beichten, aber Mutter und Tochter waren stark genug, um damit fertig zu werden.
Da ich wußte, daß Bellano seine Familie gut versorgt zurückgelassen hatte, schickte ich den Rest der fünftausend Dollar Honorar mit freundlichen Weihnachtsgrüßen an Reverend Lacey. Schließlich mußte seine Kapelle wieder instand gesetzt werden.
Dann begann ich, Pläne fürs Weihnachtsfest zu machen.
Diese gestalteten sich äußerst schwierig. Sophia und Vaz hielten sich noch immer im sonnigen Phoenix auf. Ich spielte mit dem Gedanken, sie zu besuchen.

Dann erhielt ich einen Anruf von Angela Bellano.
»Ich veranstalte ein Weihnachtsessen in meinem Haus«, eröffnete sie mir. »Viele Leute, Unmengen zu essen. Ich möchte, daß Sie kommen.«
»Klingt großartig, aber vielleicht bin ich gar nicht in der Stadt.«
»Fahren Sie zu Ihren Lieben?«
»So ähnlich.«
»Kann ich verstehen. Aber falls Sie doch da sein sollten, kommen Sie. Bitte!«
Wir legten auf.
Ich rief sie umgehend zurück.
»Darf ich eine Freundin mitbringen?«
»Selbstverständlich.«
Ich rief Rachel an.
»Ich bin gerade zum Weihnachtsessen bei den Bellanos eingeladen worden«, begann ich. »Möchten Sie mitkommen? Oder unternehmen Sie was mit Pat?«
»Nein. Pat verbringt Weihnachten immer im Osten bei ihren Eltern und ihrem Bruder.«
»Na dann?«
»Aber ich habe andere Pläne.«
»Oh.«
»Ich wollte allein zu Hause bleiben, mir was aus der Tiefkühltruhe aufwärmen und ›It's a Wonderful Life‹ ansehen. Ist so was wie Tradition bei mir.«
»Und keine schlechte.«
»Also, wann holen Sie mich ab?«